HOYNINGEN-HUENE

WILLIAM A. EWING

HOYNINGEN-HUENE

L'ÉLÉGANCE DES ANNÉES 30

Traduit de l'anglais par Monique Lebailly

Préface de George Cukor

Thames & Hudson

Couverture : « Ondine » de Lelong, photographie de Hoyningen-Huene, 1929 (détail).
Courtesy *Vogue*. Copyright © 1929 (renouvelé en 1957 et en 1985)
by The Condé Nast Publications, Inc. (voir planche 60).

4e de couverture : voir planche 91.

L'édition originale de cet ouvrage a paru sous le titre
The Photographic Art of Hoyningen-Huene

Cet ouvrage a été reproduit et achevé d'imprimer en janvier 1998
par l'imprimerie Dai Nippon
pour les Editions Thames & Hudson.

Dépôt légal : 2e trimestre 1998
ISBN : 2-87811-140-0
Imprimé à Hong Kong

SOMMAIRE

AVANT-PROPOS

George Huene et moi sommes devenus de grands amis au premier coup d'œil. Impossible de me rappeler où nous avons fait connaissance. Peut-être à Los Angeles, à New York ou même à Paris, peu importe : où que j'aille, je pense à lui. C'était un délicieux compagnon de voyage et je conserve une profusion de précieux souvenirs – de lieux et de rencontres, de discussions sur l'art, les films, les couleurs et beaucoup d'autres choses. George possédait une connaissance approfondie sur bien des sujets. Il devait beaucoup à son éducation, mais son esprit le portait à remettre constamment en question les idées reçues et les solutions simplistes. George était robuste de corps et d'esprit. Bien sûr, il pouvait être parfois terriblement fantasque et tyrannique, mais nous ne lui en tenions pas rigueur. Même alors, il restait captivant par ses opinions pénétrantes et ingénieuses.

Il a très souvent séjourné chez moi et les lieux restent marqués par sa personnalité. Il avait des goûts très simples, ce qui semblait plutôt surprenant, étant donné ses origines. Mais il n'y avait en lui rien de snob ou de prétentieux! Il détestait la frivolité des milieux de la haute couture et les femmes du monde lui portaient sur les nerfs! Bien entendu, il respectait les créatrices de cette époque-là : Edna Chase, Carmel Snow et Diana Vreeland, et je suis convaincu que, tout en se battant frénétiquement avec lui, la moitié du temps elles éprouvaient pour George le même respect. Sur bien des points, ils se ressemblaient... c'était des gens très carrés.

Après la Seconde Guerre mondiale, George comprit que le temps de la véritable élégance était passé et il abandonna le monde de la mode. Je fus ravi de le voir arriver en Californie du Sud. Depuis des années je lui disais de venir, mais il était toujours bien trop occupé pour cela. Et brusquement, il était là. Je savais qu'il s'était essayé dans le documentaire, mais l'expérience lui avait appris qu'il ne pouvait en faire un moyen d'existence, aussi était-il prêt à participer au tournage de longs métrages.

Il me devint indispensable. Nous avons travaillé ensemble pendant dix-huit ans, avec quelques interruptions, et j'écoutais toutes ses suggestions. Je ne les intégrais pas forcément dans ma conception du film, mais pour les écouter, ça oui, je le faisais! Il ne s'entêtait jamais, bien qu'il ait toujours fait de son mieux pour être convaincant : attitude idéale pour un réalisateur. Huene se conduisait en vrai professionnel, bien qu'ici il ait travaillé en indépendant. Il nous fournissait des idées sur les costumes, l'harmonie des couleurs, les décors, etc. Il voyait tout de suite ce qui clochait et se précipitait pour tout arranger. C'était le grand ami d'un de mes adjoints, le décorateur Gene Allen, et à eux deux, ils faisaient des merveilles.

George avait un respect infini pour les grandes vedettes et il se lia d'amitié avec Hepburn et Garbo. Un jour, il m'a raconté une anecdote amusante sur cette dernière. Ils avaient fait connaissance lors d'une partie de campagne en Nouvelle-Angleterre, et elle ne lui avait guère accordé d'attention! Le lendemain matin,

Huene par Arnold Genthe, vers 1940.

à l'aube, elle vint à sa fenêtre et lui proposa, « Venez faire une promenade », et ils marchèrent dans les bois. Après cela, ils ne perdirent jamais contact. Kate fut aussi séduite par George et lui rendit un hommage émouvant lors de ses funérailles.

En imagination, je le vois assis là, en train de regarder son livre, avec calme. Il aurait été très critique, et pourtant approbateur. Il savait aussi être drôle et ne pas prendre les choses au sérieux. George était un être compliqué et, en même temps, si franc et si simple. Je l'avoue, il me manque terriblement, et je me réjouis de la publication de ses meilleures photographies.

GEORGE CUKOR
11 août 1982

Huene chez lui, Paris, vers 1929.

INTRODUCTION ET REMERCIEMENTS

De 1926 à 1945, George Hoyningen-Huene photographia énormément, à la fois pour gagner sa vie et pour son plaisir. Ce faisant, il acquit la profonde admiration de ses illustres collègues – Edward Steichen, Man Ray, Cecil Beaton, Louise Wolfe et Diana Vreeland –, celle de ses successeurs – Horst, Irving Penn et Richard Avedon – comme celle d'un très large public de plus en plus séduit par ses images froides et raffinées qui ornaient souvent les pages des plus belles revues de photographies et de mode. Mais notre appréciation de son œuvre serait fort limitée si seules ses photos de mode nous revenaient à l'esprit. Ses portraits et ses études documentaires sont tout aussi dignes de notre admiration. J'espère ici apporter la preuve que son œuvre ne trouve sa complète signification qu'en regard de l'ensemble.

Durant ces vingt années, Huene prit des milliers de photos. Même si beaucoup parurent dans des revues et s'il publia cinq albums, un très grand nombre de clichés sont restés inédits et certains parmi les plus célèbres jamais présentés comme ils le méritaient. Pourquoi cela?

Lorsqu'il travaillait sur commande, Huene effectuait toujours plusieurs prises de vue dont une seule était retenue pour la publication. Les photos écartées n'étaient pas forcément de moindre qualité mais elles ne répondaient pas aux exigences de la mise en page, ou peut-être ne mettaient pas assez en valeur les robes ou les accessoires.

Directeurs, rédacteurs artistiques et retoucheurs prenaient toutes sortes de liberté. La photo pouvait être terriblement réduite, inclinée de manière spectaculaire, coloriée à la main, inversée (blanc sur noir) ou sévèrement – souvent sauvagement – coupée. Une fois, le graphiste Alexey Brodovitch déchira les quatre côtés d'une photo de Huene pour qu'elle semblât avoir été jetée. Parfois l'image publiée n'avait plus rien à voir avec l'original. Ajoutez à cela éventuellement la surimpression d'un texte ou d'autres éléments graphiques, et vous comprendrez le désespoir du photographe. Je n'ai respecté ces partis pris éditoriaux qu'exceptionnellement, lorsque Huene n'avait attaché aucun soin au cadrage, sachant que le rédacteur « épurerait » les bords non travaillés. Les cadres pyramidaux des planches 61 et 62 en sont un exemple. Dans tous les autres cas, je suis revenu aux épreuves originales de Huene (il ne subsiste presque plus de négatif), publiées ou non. Voici donc ses images, telles qu'il les a conçues.

Huene ne se montra pas aussi attaché à la couleur que certains de ses rivaux, tels Louise Dahl-Wolfe et Anton Bruehl. Cependant j'ai inclus dans ce livre ses plus beaux clichés. Ses fonctions de conseiller pour la couleur, à Hollywood ont induit le public à projeter, de façon erronée, ses réalisations cinématographiques sur son œuvre photographique.

A l'ordre chronologique, j'ai préféré une présentation thématique et graphique qui, je crois, met mieux en valeur le style et l'originalité de Huene. Huene ne vint pas à la photographie comme un débutant mais avec une vision déjà mûre et une formation artistique achevée. Ses premières œuvres témoignent de sa maîtrise et, très tôt, il produisit ses meilleures images. Tout livre se fonde sur un parti pris, et j'avoue volontiers le mien. Bien que mon choix couvre tous les aspects de son œuvre, il accorde plus de place aux photos de *Vogue,* à la fin des années 20 et au début des années 30. Je crois qu'il s'agit là de ses meilleurs clichés et que son talent atteignit son apogée entre 1932 et 1934. Ce qu'il fit ensuite pour *Harper's Bazaar* fut (sauf de notables exceptions) bien inférieur. Cet album présente la quintessence de l'œuvre de Huene.

Soixante années ont passé depuis que Huene s'est embarqué dans cette extraordinaire carrière. Quoiqu'il ait acquis, à son époque, une certaine notoriété, bien du temps devait s'écouler avant que son œuvre obtienne l'attention qu'elle méritait. L'occasion s'en présenta avec l'exposition « Eye for Elegance » qui se tint à l'International Center of Photography de New York, en 1980, et circula ensuite à Londres, à Paris et à Los Angeles, villes où il avait vécu et travaillé. La matière de ce livre se compose des cent cinquante photos originales alors présentées auxquelles se sont ajoutées de nombreuses images qui, à cette époque, m'étaient inconnues.

Je dois beaucoup à l'International Center of Photography qui m'a donné les moyens matériels de poursuivre ce projet durant cinq ans. Je tiens à remercier en particulier son directeur Cornell Capa qui en dépit de sa grande passion pour la photo documentaire a su reconnaître une réussite d'un tout autre genre, Ann Doherty, Ron Cayen, Steve Rooney, Ruth Silverman, Harriet Wood et Anna Winand m'ont également accordé une aide inestimable.

Horst P. Horst, collègue et ami de longue date de Huene, participa à toutes les phases du projet et m'ouvrit sa collection privée. Bob Horst et son biographe, Valentine Lawford, veillèrent à l'exactitude du texte, ce dont je leur suis reconnaissant. Je voudrais aussi remercier Richard Tardiff, qui m'a aidé à reproduire les clichés. Je suis spécialement reconnaissant au Dr. Oreste Pucciani de m'avoir aidé à établir la chronologie de ce texte et laissé consulter les Mémoires de Huene. Les conseils que Ian Jeffrey et David Mellor m'ont prodigués sur le texte m'ont été bien précieux.

Beaucoup de personnes ont contribué au succès de ce projet. Je souhaite remercier : Gene Allen; Richard Avedon; Mrs. Boecler-Mathews; Irene Burns; Henri Cartier-Bresson; Cynthia Cathcart; Diana Edkins, archiviste à la Condé Nast Corporation; Jacques Faure; Otto Fenn; Lisa Fonssagrives-Penn; Marvin Gasoi; Rudi Gernreich; Liz Gibbons-Hanson; Ruth Gilbert; F.C. Gundlach; Yvonne Halsman; Katharine Hepburn; la baronne von Hoyningen-Huene; Scott Hyde; Robert Kauffman; Alan Klotz; Toto Koopman; François Meyer; Dominique Nabokoff; Catherine Negroponte; Jacqueline Onassis; Irving Penn; Anthony Penrose; William Rayner; Ursula Retzki; Adriana Skaad; Holly et Horace Solomon; Dianne Spoto; Ethaline Staley; John C. Waddell; Robert Walker; et Taki Weiss. Je dois aussi remercier les institutions suivantes : l'University of Southern California, Los Angeles; l'University of California, Los Angeles; J.J. Augustin, éditeur, New York; la Staley-Wise Gallery, New York; George Eastman House, Rochester, New York; la National Endowment for the Arts, Washington, D.C. : le J. Paul Getty Museum, Los Angeles; le Museum of Modern Art, New York; et la Photocollect Gallery, New York. En dernier, je veux remercier Sal Lopes, qui a tiré des originaux, dont beaucoup étaient abîmés, les plus belles reproductions possible.

Arrangement floral de Constance Spry, 1934.

Huene par Horst, sans date.

UNE ÉDUCATION DE GENTILHOMME

George Hoyningen-Huene naquit à Saint-Pétersbourg le 4 septembre 1900, d'un père baron de la Baltique fier de pouvoir faire remonter ses ancêtres aux Croisades, et d'une mère américaine, originaire de Grosse Pointe dans le Michigan, dont le père avait été ministre plénipotentiaire et envoyé extraordinaire des États-Unis à la cour du tsar Alexandre III. A l'occasion de sa naissance, ses parents emplis de fierté se rendirent au studio de l'un des meilleurs portraitistes de la ville où « Georgy » fut photographié dans un panier, peut-être du type de ceux portés par les ballons à air chaud. Presque au même moment, Lénine mettait au point le premier numéro de l'*Iskra* (l'Étincelle), annonciateur d'une tout autre naissance. « De l'étincelle jaillira la conflagration », dit le slogan décembriste. Avant que prît fin son enfance, Huene* goûterait l'amère vérité de cette prophétie. Mais dans cet élégant studio de photographe, à l'aube du nouveau siècle, une mère heureuse se réjouissait à l'idée de faire de son fils un noble accompli.

« Georgy von Huene », 1900. Studio W. Clasen, Saint-Pétersbourg.

Anne van Ness Lothrop, la mère de Huene, avait déjà avant son mariage fait quelque sensation dans la haute société de Saint-Pétersbourg, si l'on en juge par un article paru dans le *Novasti* :

Tout ce que Saint-Pétersbourg compte de membres de la gentry s'est retrouvé au troisième bal, ou plutôt à la *soirée dansante,* qui a eu lieu hier, 30 décembre, à la demeure hospitalière du ministre plénipotentiaire américain. A onze heures, les gens de la bonne société et le corps diplomatique se pressaient déjà dans les somptueux salons et les splendides vestibules, décorés de rarissimes tapisseries des Gobelins...

L'élégance régnait là en maîtresse et l'hospitalité de celui qui recevait se faisait voir à chaque pas. Un souper était servi dans la salle à manger du premier étage. On avait disposé des tables de jeux dans la pièce avoisinante, la bibliothèque du ministre. La plus grande partie des invités, y compris les membres du corps diplomatique, préféraient, semblait-il, demeurer dans le grand salon du *bel-étage,* tandis que la jeunesse se rassemblait dans la salle de bal. Miss Lothrop, la fille aînée du ministre, accueillait les invités dans le salon. La jeune hôtesse avait revêtu, pour la circonstance, une ravissante toilette dont la couleur vert d'eau de mer paraissait au travers d'une vaporeuse garniture de tulle[1].

Si l'on en croit la correspondance de sa mère, Anne ne cessait de participer à des bals, de faire des excursions ou de se passionner pour quelque événement sportif – c'était d'ailleurs une fervente adepte du jeu de volant[2]. Anne fit probablement la connaissance de son futur époux, le baron Barthold von Hoyningen-Huene, à l'occasion d'un événement équestre semblable à celui, prestigieux, décrit par sa mère dans cette lettre envoyée à sa famille :

Chaque année, il y a ici un carrousel auquel participent douze ou quatorze cavalières et cavaliers. Le *manège* était on ne peut mieux décoré de casques, de cuirasses et de drapeaux... Lorsque tout le monde se fut rassemblé et que la famille royale eut fait son entrée, on ouvrit les portes qui, à l'extrémité opposée de la salle, donnent sur les écuries, et deux sonneurs de trompette apparurent, montés sur des chevaux blancs. Le régiment lui-même disposait de fort beaux chevaux bais. Puis quatre officiers se présentèrent, revêtus d'un magnifique uniforme écarlate et argent, et coiffés de casques d'airain surmontés de grands aigles. Alors, les cavaliers entrèrent, les dames en habit d'amazone et chapeau de soie, bien sûr, et les officiers en blanc et argent, avec des tapis de selle

*Huene, devenu adulte, marqua une préférence pour cette forme abrégée de son nom et c'est pourquoi j'ai décidé de l'utiliser tout au long de ce livre. Cependant, dans les sous-titres de ses photos on le nommait habituellement « Hoyningen-Huene ». (Selon la prononciation française, Condé Nast Inc. ajoutait toujours un accent aigu, bien que le second « e » de « Huene » ne soit pas vraiment le « é » français, mais le « e » allemand.)

Le père de Huene, la baron Barthold Theodor von Hoyningen-Huene, 1896. Sans nom de studio, Saint-Pétersbourg.

La mère de Huene, Anne van Ness Lothrop, peinte par Gari Melchers, Paris, vers 1890.

écarlates... L'orchestre entama une polonaise qui fut dansée par les cavaliers. Ils exécutèrent des quadrilles et toutes sortes de danses très gracieuses et fort jolies. Les évolutions durèrent presque deux heures; après cela, on nous servit du thé et des rafraîchissements. Céderai-je à ma vanité maternelle et vous dirai-je que certains officiers et beaucoup d'autres personnes ont déclaré que Anne s'était montrée la meilleure des cavalières[3]?

Encore jeune fille, Anne entra dans les bonnes grâces du souverain. Elle conta un jour à son fils l'incident qui eut lieu lors d'un bal donné sous le règne d'Alexandre III; les jeunes filles dont les pères appartenaient au corps diplomatique devaient se mettre en rang, cérémonieusement, en attendant l'entrée du tsar. Lorsqu'il arriva, au moment où Anne entamait sa révérence, une Grecque malveillante la poussa pour la faire tomber. Elle se retrouva couchée de tout son long aux pieds du tsar, mais elle se releva rapidement d'un bond et répondit à son regard stupéfait par un éclat de rire. Apparemment charmé par cette dérogation tout à fait imprévue au protocole, la surprise du souverain fit place à l'amusement. Par la suite, tous deux continuèrent à entretenir des relations amicales. L'esprit non conformiste d'Anne ne s'atténua pas avec la maturité. Lors du fameux Dimanche rouge de 1905, tandis que les troupes de Nicolas II massacraient les manifestants, devant le palais d'Hiver, nous la voyons circuler dans les rues de Saint-Pétersbourg, dans l'une des *droshkies* de son époux. Elle avait entendu dire que la révolution commençait et elle voulait voir de quoi il s'agissait.

Ils eurent trois enfants – George, Helen et Betty – et menèrent une vie opulente et extravagante. Dans ses Mémoires, Huene évoque ainsi la magie de ses premières années :

Les trois choses les plus merveilleuses que j'ai vues dans mon enfance, ce fut la mer, lorsque ma mère m'emmena à Cannes...; une locomotive arrivant à la gare; et un arbre de Noël illuminé par de vraies bougies; on ouvrit les portes du salon et l'on me permit de contempler cette belle et stupéfiante vision que ma mère avait préparée pour moi avec amour[4].

Pourtant, les années passant, le jeune garçon vit de moins en moins sa mère trop occupée par la vie mondaine de ses filles, toutes deux plus âgées que George. Il n'avait jamais été proche de son père, Grand Écuyer du Tsar, constamment absorbé par les activités équestres de la famille impériale et par la responsabilité du musée consacré à cet art. Dans ce domaine, l'autorité du baron était absolue et il jouait le rôle d'un suzerain tyrannique auprès de quelque mille deux cents hommes. D'une extrême arrogance, il estimait que la plupart des gens lui étaient inférieurs. Il considérait, entre autres, les Hohenzollern comme des parvenus. Même le Kaiser, Guillaume, son ami personnel, n'échappait point à cette évaluation. Malheureusement, il traitait son fils d'une manière tout aussi autoritaire et apparaissait rarement chez lui, sauf pour y commettre quelque injustice ou sévice mineur (il empoisonna un jour le chien favori de George pour donner une leçon à son fils). « Je voyais à peine mon père, écrit Huene. Il était la plupart du temps sur ses terres, ou il voyageait pour monter l'écurie de l'Empereur[5]. »

Amour et affection étaient des sentiments étrangers à la nature de son père. Le baron estimait que la gouvernante de l'enfant suffisait à remplir ces besoins. Mais bien que Huene ait trouvé du réconfort auprès de cette femme pleine de bonté, rien ne put atténuer la douleur causée par l'attitude distante de ses parents. « Ma mère consacrait toute son existence à la vie mondaine de ses filles », dit-il, et il ne la voyait qu'en de « rares occasions », avant quelque bal important, lorsqu'on permettait aux jeunes filles de montrer leurs jolis atours à leur frère admiratif. « Avant d'aller au bal, elles montaient me dire bonsoir. J'étais toujours émerveillé par leurs belles robes et par leur léger parfum d'eau de Cologne et de poudre[6]. »

Chaperonner ses filles dans la ronde sans fin des réceptions, des soirées et des bals n'empêchait pas la mère de Huene d'avoir l'œil sur la vie sociale de son fils; après tout, il fallait penser au mariage futur. « Le dimanche, c'était une corvée de revêtir un costume marin avec des culottes à la française, des bas noirs et des escarpins, de se rendre en quelque palais et d'exécuter comme il fallait des numéros de menuets, de gavottes, de valses, de mazurkas et de contredanse[7]. »

La famille passait souvent des vacances dans le midi de la France et la région des lacs italiens. On allait régulièrement acheter des vêtements à Paris et consulter le dentiste à Berlin. On passait la plus grande partie de l'été dans le domaine familial, à Nawwast, en Estonie. La demeure spacieuse et peinte de couleurs vives, avec ses vastes dépendances, un village pour les domestiques, un four à pain, une scierie, un sauna, une forge, des silos et des granges, constituait un paradis pour les enfants. Il y avait des jardins à la française et un parc, du gazon impeccablement tenu pour le tennis et le croquet et, dans les étables, de superbes chevaux rejetés par le tsar pour d'infimes défauts. Il y avait aussi une belle collection de voitures de Russie, d'Angleterre, de France et d'Amérique. Un peintre en tableaux de genre, chargé de rendre les scènes de félicité domestique, accompa-

Huene en 1905, Studio Boissonnas et Eggler, Saint-Pétersbourg.

gnait parfois la famille à Nawwast. Peut-être afin d'élever le paysage au niveau d'un bon peintre, le baron importa des sapins du Canada. Huene se souvient avec attendrissement d'un anniversaire où il reçut un wigwam, un tomahawk et des mocassins.

Tous les étés, la mère de Huene donnait une fête pour les enfants du village :

Elle avait lieu sur la prairie, devant la maison. Il y avait un petit orchestre de concertinas et la grange était décorée de drapeaux et de banderoles. Les plus jeunes exécutaient différentes prouesses et rivalisaient en des jeux et des courses de toutes sortes dont les gagnants recevaient des prix. Après les réjouissances, tout le monde s'asseyait pour boire du thé et des boissons non alcoolisées et manger gâteaux et friandises. Puis nous lâchions des ballons de papier de soie, de toutes les couleurs, montés sur un anneau en fil de fer avec une boule de coton trempée dans de la paraffine et que nous enflammions. Certains montaient en flèche, se retournaient et prenaient feu, mais beaucoup s'élevaient tout droit et s'évanouissaient dans le ciel[8].

Huene nous dit que ses parents s'occupaient de leurs paysans. Le baron était particulièrement fier des maisons modèles qu'il avait fait construire pour eux sur ses terres. Ces maisons, ainsi que d'autres projets qui devaient améliorer à la fois le sort des paysans et l'exploitation de la propriété, dévoraient toute son énergie lorsqu'il était à Nawwast.

Dans ses dernières années, Huene ne parla jamais aussi aimablement de sa vie à Saint-Pétersbourg. Il ne put jamais oublier le froid mordant qui enveloppait la cité durant les longs hivers, ni les jours trop courts et leurs cieux éternellement gris. Pourtant, ses sentiments étaient ambivalents, quant à leur vie citadine. La famille vivait dans un appartement proche du palais d'Hiver où les enfants étaient aux premières loges pour jouir de la pompe et de l'apparat de la cour. Vivre sur les bords de la Neva permettait d'assister à d'incessants événements naturels et de mémorables cérémonies. Il ne fallait pas manquer, début janvier, la bénédiction des Eaux (la fête des Trois Rois), la pose des rails sur la glace, la traversée du premier tramway. Au printemps, on guettait l'enlèvement des rails, au premier signe de dégel, suivi bientôt par le bruit étourdissant de la glace qui se disloquait. Puis, selon un rite aussi ancien que la cité elle-même, le tsar et sa suite venaient sur la rive ouvrir cérémonieusement la rivière à la navigation.

Huene nous a laissé un récit des autres aspects de la vie qui l'avaient impressionné enfant. Il se représentait encore avec émerveillement les délicates dames de la cour descendant d'un pied léger de leurs voitures dorées devant Fabergé et d'autres boutiques chic de la Nevski Prospekt, les montagnes de poissons exotiques, de venaison et de caviar qui chargeaient les tables des riches, et les fleurs exquises qui arrivaient chaque jour de la Côte d'Azur. Et s'il détestait les lugubres mois d'hiver, il ne se lassait jamais des splendides « nuits blanches » et du soleil de minuit du bref été nordique. Peut-être les sentiments mitigés de Huene quant à Saint-Pétersbourg reflétaient-ils en partie la dégradation de ses relations avec son père. « Je voyais à peine mon père », expliquera-t-il des années plus tard. « L'échec de mes tentatives pour me gagner son attention se transmua en peur, puis en méfiance et enfin en haine[9]. »

Huene fut, très jeune, initié à l'art, ce qui lui apporta une connaissance approfondie de la peinture qu'il put mettre en pratique dans ses photos de mode : comparer, par exemple, le style dépouillé de Mlle Diplarakou, robe du soir de Vionnet, 1932 *(page opposée)*, au portrait de Mme de Verninac par David (1799).

Et ainsi émerge un portrait esquissé de Huene : celui d'un enfant sensible, affectueux et respectueux, vivement désireux de prouver ses mérites à ses parents, mais attristé par le manque de disponibilité de sa mère et profondément blessé par l'indifférence de son père. Son milieu extravagant le plonge dans un effroi mêlé d'admiration mais il apprécie la position sociale de sa famille. A cette époque, Huene, photographié en costume marin, présente déjà un aspect physique qui retient l'attention : ses traits lourds ne sont pas d'une beauté classique, mais l'élégance désinvolte qui constitua plus tard le trait le plus marquant de sa personnalité, lui était déjà naturelle.

Ses études étaient une autre affaire. « Plus attiré par les disciplines visuelles, je pris du retard à l'école[10]. » Son éducation formaliste – dans une école luthérienne austère puis au lycée impérial, une académie semi-militaire où régnait une sévère discipline – n'était pas de son goût. Huene recevait avec reconnaissance, des membres de sa famille et de leurs amis, conseils et instruction personnelle. Il aimait particulièrement sa tante Anna, qui voyageait souvent avec eux, et son oncle Oscar qui, lorsqu'il venait à Nawwast, apportait des livres et des cartes géographiques et organisait des séances de lanterne magique. Il chérissait aussi un ami de la famille, le baron Foelkersam, conservateur de l'Ermitage[11], qui l'initia aux œuvres de Fragonard, Raphaël, Houdon et Vinci.

On imagine Huene enfant, parcourant lentement les grandes galeries au côté de son mentor. Le baron attirait son attention sur les qualités propres de chaque chef-d'œuvre et sa place dans l'histoire de l'art. Il soulignait l'importance de l'idéal classique – la mesure, l'harmonie, la grandeur et la sobriété. Il ne faut pas s'étonner que Huene ait, plus tard, pris plaisir à se référer aux grands maîtres, dans ses œuvres photographiques et cinématographiques. (A noter, par exemple, l'allusion au portrait de *Madame de Verninac* de David dans la photo de Mlle Diplarakou, en robe du soir de Vionnet, 1932.)

« Mon goût n'était pas encore formé, mon musée préféré était celui d'Alexandre III (aujourd'hui, le musée Russe). Beaucoup de ses peintures académiques du XIXe prenaient pour sujet des reconstitutions historiques et des scènes d'intérieur[12] ! » Là, l'imagination d'un jeune garçon pouvait s'emballer sans être entravée par le sobre idéal classique. Sur les murs étaient accrochés les chefs-d'œuvre de Feodor Rokotov, Feodor Bruni, Ilia Répine et Vassili Sourikov, ainsi que la célèbre collection d'icônes. Beaucoup d'œuvres d'art n'étaient pas dans les musées mais dans les palais des amis et relations nobles de la famille. Par exemple, *Les Haleurs de la Volga,* de Répine (1870-72), image de l'héroïsme populaire, ne fut exposé publiquement qu'en 1917. Mais Huene eut l'occasion de le voir dans la salle de billard du palais du grand-duc Vladimir Alexandrovitch.

La peinture était au centre de ses intérêts, mais l'enfant fut familiarisé, dès son jeune âge, avec d'autres formes d'art. Pour son initiation au ballet, qu'il finit par aimer beaucoup, il vit Karsavina et Nijinski dans *La Belle au Bois Dormant;* son premier opéra fut *Eugène Onéguine.* Pendant ce temps, il s'exerçait aux acrobaties, secrètement déterminé à devenir un professionnel de cet art lorsqu'il serait grand. Il lisait avec voracité, attendant avec impatience les livres et les revues qui arrivaient régulièrement à la maison : le *Punch,* l'*Illustrated London News, Vogue, Vanity Fair, Harper's Weekly* et *Elegante Welt.* Il faisait grand cas de Jules Verne et des frères Grimm. Ses deux livres favoris étaient *La Case de l'oncle Tom* et *Tom Sawyer*[13].

Huene s'imprégna de plus en plus d'histoire grecque et romaine, et son enthousiasme grandit en même temps que ses connaissances. Les leçons ne se limitaient pas aux musées et aux palais de Saint-Pétersbourg. Sa famille résidait souvent en Italie et, « tandis que mes sœurs chassaient à courre avec des officiers italiens, ma tante Anna et moi, nous nous lancions à la recherche de sites archéologiques[11] ». C'est à Rome qu'il découvrit pour la première fois les œuvres de Michel-Ange, ce qui le poussa à s'inscrire, dès son retour, à l'école des Beaux-Arts de Saint-Pétersbourg. Là, on donnait aux étudiants des moulages, de chapiteaux corinthiens par exemple, qu'ils devaient copier, à grand renfort de hachures, avec un réalisme académique laborieux. Si ces exercices s'avérèrent assommants, le jeune homme n'eut pas lieu de le regretter plus tard : comme nous le verrons, ils ont fourni des bases solides à sa carrière de photographe de studio.

Ses sœurs arrivant à l'âge des fiançailles, leur mère accorda de moins en moins de temps à son fils adolescent et l'on chargea des précepteurs de poursuivre son éducation. Ce fut par ces jeunes gens que Huene découvrit le socialisme radical. Étant donné les raffinements et les privilèges de sa classe, ainsi que son enfance protégée, on pourrait supposer que cette confrontation avec des idées aussi incendiaires choquèrent Huene. Au contraire, il semble les avoir acceptées. Elles constituaient peut-être un substitut opportun aux rigides points de vue de la caste de son père; plus encore, cette arme lui permettait de s'opposer à la figure dominante de cet homme. « Ces précepteurs m'ouvrirent les yeux, dit-il. Les jeunes étudiants socialistes m'initièrent à un monde secret que je chérissais à cause de la confiance et de la foi qu'ils m'inspiraient[15]. »

Trouver de telles idées au sein de la noblesse semble étrange. « On est étonné, écrit Nabokov, de découvrir quelles violentes idées ces hommes pouvaient exprimer dans un pays dirigé par un monarque absolu[16]. » Il semble incroyable que personne n'ait pris cette menace très au sérieux; ceux qui avaient tout à perdre ne pouvaient imaginer dans leurs rêves les plus fous que les défavorisés s'organiseraient un jour suffisamment pour prendre le pouvoir. Mais pour la jeunesse, à l'esprit plus ouvert, ce n'était pas paroles en l'air. Les précepteurs les plus sérieux de Huene eurent peu de mal à le convaincre de l'aspect progressiste de la pensée scientifique et de la nécessité absolue de changer un système social vétuste. De ses propres yeux, il pouvait voir les structures se désintégrer et il estimait sa propre classe incapable de mettre fin à la décadence. De plus, ses précepteurs étaient des jeunes gens sensibles et passionnés, prêts à devenir ses amis, et représentaient un moyen opportun de s'éloigner encore plus d'un père dont il n'attendait même plus un minimum d'affection. « Ce sentiment dont je ressentais le cruel besoin, je cherchais à l'assouvir auprès d'autres personnes[17] », dit-il d'une façon détournée. Il fait allusion à Ivan Ivanovitch Loosev qui, aux yeux de son élève, était « un saint ». Ses manières douces et son érudition touchèrent profondément Huene. « Je l'aimais plus qu'aucun autre être humain. » Lorsque la séparation eut lieu, Huene traversa une terrible crise émotionnelle accompagnée de troubles physiques.

En 1914, le monde de Huene commença à se désintégrer. La guerre avait éclaté, et le baron envoya sa femme et ses enfants à Yalta, sur la mer Noire, croyant qu'ils y seraient à l'abri[18]. Huene ne nous a pas dit grand-chose sur cette époque. Nous savons que sa famille acheta une maison et qu'on l'envoya au lycée de la ville, bien que son père ait choisi de rester à Saint-Pétersbourg. Peut-être que ces événements importants éclipsaient le quotidien. En 1916, la famille apprit l'assassinat de Raspoutine par le prince Felix Youssoupov[19]. Pour une fois, le père et le fils partageaient le même avis, à ceci près que George espérait que la mort de Raspoutine marquerait le début d'une action réformatrice, alors que le baron croyait que, une fois exorcisé de cette influence diabolique qui avait accablé la cour et dévoyé les affaires de l'État, le grand ours russe reviendrait à la raison et jetterait dehors l'envahisseur germanique. Plus tard, tous deux se réjouirent aussi de l'abdication du tsar. Pour le père de Huene, cette joie n'était pas due à la chute du régime autocratique mais à l'idée qu'un commandant suprême plus compétent pourrait endiguer l'humiliante marée de défaites militaires. Bien plus fréquemment qu'on ne le croit aujourd'hui, le sentiment révolutionnaire russe prit ses racines dans un patriotisme de ce type[20].

La désillusion s'amorça vite. Sous la forme d'une visite domiciliaire humiliante effectuée par des marins rouges de la base navale de Sébastopol. Ils prirent la machine à écrire de la famille, habituellement rangée sous un lit, pour un émetteur radio caché avec une ingéniosité diabolique. A cela s'ajoutait le fait que la mère de Huene avait rendu visite à l'impératrice douairière Alexandra, sœur de la reine d'Angleterre, et qu'on pouvait la soupçonner d'espionnage. La famille fut brièvement assignée à résidence.

Bien que l'incident n'ait pas eu de suite, Huene prit conscience qu'ils couraient un vrai danger. Tout en continuant à croire à la nécessité d'une réforme socialiste, il comprit que le nouvel ordre serait brutalement imposé par une minorité agissante – les bolcheviks – dont le slogan « Mort à la bourgeoisie » concernait directement sa classe. Il réussit à convaincre sa mère qu'il ne leur restait plus qu'à

Huene en uniforme du corps expéditionnaire britannique, vers 1918. Sans nom de studio, Londres.

fuir. Plus tard, se remémorant ses sentiments devant cette situation, il écrivit :

Tout en sachant profondément que je n'avais aucune affinité avec la situation sociale dans laquelle j'étais né, je manquais de la passion brûlante qui anime le révolutionnaire. Aussi j'attendais avec impatience le jour où je pourrais vivre dans un climat plus libéral... J'avais le pressentiment que je quittais la Russie pour de bon et que je ne la reverrais jamais. Je savais qu'un ordre nouveau s'élaborait et que la tempête qui balaierait le monde où nous vivions ne faisait que commencer. Je partais et le monde extérieur signifiait aventure et changement. Je détestais le climat de la Russie et j'en avais assez des injustices sociales, des conditions de vie sordides et arriérées, et bien que ma mère n'ait pas compris que c'était le grand soir, je savais qu'en attendant l'établissement d'un ordre social et économique, il n'y aurait que chaos, et encore plus de chaos[21].

Ils revinrent à Saint-Pétersbourg – devenu Petrograd – et grâce à des visas de sortie obtenus par l'ambassade américaine, la mère et le fils (en uniforme de lycéen) s'échappèrent par terre. Passant par la Finlande, la Suède, la Norvège et traversant la mer du Nord, ils débarquèrent à Londres. Betty était déjà partie et Helen allait se débrouiller toute seule pour fuir. Quant au baron, il s'esquiva peu après, déguisé en paysan. Chassé de ses terres par les bolcheviks, il n'avait pu emporter qu'une valise. Ainsi perdirent-ils tout ce qu'ils avaient laissé derrière eux, à Saint-Pétersbourg et à Yalta, même si les fonds placés à l'étranger les mettaient à l'abri du besoin. Ils s'établirent provisoirement à Londres où ils avaient des parents et amis influents, et Huene fut envoyé au collège dans le Surrey. Là, « je dus repartir de zéro[22] », dit-il.

Il avait l'intention de commencer des études universitaires à St. Andrew's, en Écosse[23]. Mais l'évolution des événements de Russie l'obligea à reconsidérer cette décision. En 1918, la lutte contre le gouvernement central communiste éclata en plusieurs points, et les Anglais organisèrent un corps expéditionnaire. Bien que des critiques comme Osbert Sitwell aient parlé avec sarcasme de cette guerre non déclarée de Churchill (« Ce n'est pas vraiment une guerre mais rien qu'un moyen d'entraîner les nouvelles recrues et d'économiser sur les manœuvres »), cette entreprise britannique offrait à Huene l'occasion d'agir. Bien que toujours fidèle à l'idéal socialiste, il pensait que les bolcheviks avaient trahi l'esprit de la révolution. Il fallait leur lancer un défi et passer immédiatement à l'attaque. Huene aurait préféré s'engager comme officier mais sa qualité d'étranger rendait la chose impossible. Il se porta donc volontaire et on l'affecta comme interprète à une unité d'instruction en route pour Arkhangelsk.

Inexplicablement, cette unité se retrouva postée au sud de la Russie. Pressés de se lancer dans le feu de l'action, le jeune soldat et ses compagnons furent désappointés d'apprendre qu'ils n'allaient pas s'engager tout de suite dans les combats. S'ensuivirent une série d'affectations : Batoum, Ekaterinodar, Taganrog. Pour finir, leur désir fut exaucé mais ils eurent l'occasion de le regretter : les hasards de la guerre les déposèrent sur le champ de bataille de Tsaritsyne (plus tard Stalingrad, aujourd'hui Volgograd). Là, Staline commandait en personne les forces ennemies qui prirent nettement le dessus. La maladie vint s'ajouter aux horreurs de la guerre moderne. Le typhus se déclara dans les rangs des Russes blancs. Huene évoque le désordre qui s'installa lors de l'évacuation :

Des dizaines de milliers de mourants gisaient dans les rues et sur les quais de la gare. Il fallait se faufiler entre ces malheureux. On chargeait les morts dans des camions après leur avoir enlevé leurs bottes car les vivants en avaient besoin... C'était sinistre, comme les récentes photos de Buchenwald[24].

Lui-même ne tarda pas à tomber malade. Il faillit mourir plusieurs fois au cours des semaines suivantes. Cependant, au cœur de cette infortune, il trouva la force de tenir son journal :

11 février : cédé mon lit à Fatty qui a failli mourir; le 12 : passé deux nuits sur le sol en ciment, inondé; un vent glacial et du brouillard, la pluie traverse le toit; le 17 : la base se prépare à l'atta-

que des gardes verts (qui combattaient à la fois les Blancs et les Rouges). « Tout le monde debout ! » ; 5 mars : le feu se déchaîna à 4 heures du matin. Témoin de nombreuses scènes cruelles[25].

Il note aussi les visites, à son chevet, de la comtesse de Tolstoï et de la baronne de Wrangel, l'épouse du commandant en chef, parente par alliance des Huene. Ces femmes de l'aristocratie remplissaient consciencieusement et avec optimisme les obligations de leur classe. Mais les soldats avaient brutalement compris que l'ancien ordre, celui de Huene, avait été balayé à jamais. A ce moment, les Alliés décidèrent d'abandonner le général Wrangel et, avec l'armistice, des forces écrasantes se déchaînèrent contre lui. Huene écrit : « Trois semaines plus tard, je demandai à voir un journal et je découvris que la guerre était perdue. Ce fut une terrible désillusion car les troupes anticommunistes étaient presque arrivées à Moscou, et si l'on nous avait un peu aidés, la Russie serait probablement devenue une social-démocratie au lieu d'un État communiste[26]. » Vaincu et malade, après une année de combat il fut évacué à bord d'un navire britannique. Son rêve de redresser les torts des bolcheviks était brisé. Pendant cette guerre, il avait presque atteint sa maturité, et rompu définitivement avec son enfance. Il allait maintenant affronter une vie radicalement différente.

UNE VIE NOUVELLE A PARIS

Pendant que Huene servait dans les forces armées britanniques, en Russie, sa famille s'était installée dans le midi de la France dont la vie mondaine leur rappelait le passé. Mais ce choix n'était pas du goût du jeune homme. « Repartir de zéro en France me semblait incongru, dit-il. Pourquoi pas en Amérique? Après tout, j'étais à moitié américain[1]! » Obligé de s'incliner devant le désir de ses parents de s'installer en France, il rejeta l'attitude morose de son père pour lequel « la vie n'était plus qu'amertume, car il avait perdu les deux choses qu'il aimait le plus au monde : ses terres et ses chevaux[2] ».

Tournant le dos au milieu social raffiné de Biarritz, Huene monta à Paris, avec dix mille autres réfugiés moins favorisés que lui. Il disposait d'atouts certains : une éducation d'homme du monde, une allure qui plairait aux milieux cultivés, une pension (dont nous ignorons le montant) et des relations familiales importantes. De plus, il parlait presque couramment anglais et français. Il ne faut donc pas s'étonner qu'il soit allé tout de suite à Paris. Souhaitant devenir indépendant par rapport à ses parents, il trouva toutes sortes de petits travaux. Parmi les plus intéressants, notons qu'il fut interprète pour une firme américaine qui achetait du bois de charpente en Pologne. Ses voyages dans la campagne polonaise lui laissèrent une impression ineffaçable : les villages semblaient sortis tout droit des visions vibrantes de Marc Chagall.

Néanmoins, ce travail ne présentait pas d'intérêt intellectuel et le jeune homme était impatient de revenir se plonger dans la vie culturelle parisienne. Le nouvel art du cinéma l'attirait beaucoup et il ne rata pas une occasion d'en suivre les développements. Il trouva *Le Cabinet du Dr Caligari* trop « théâtral », mais *Broken Blossoms (Le Lys brisé)* de D.W. Griffith le persuada de l'étendue des possibilités d'expression du genre, comme quelques années plus tard, *Le Cuirassé Potemkine* d'Eisenstein lui ouvrirait les yeux sur l'inquiétante force de propagande que pouvait posséder cet art.

Fidèle à ses idées, Huene quitta un jour le studio de *Vogue*, à Paris, en le laissant aux mains de son assistant juste avant que Eisenstein n'y arrive pour poser : s'étant brusquement souvenu des horreurs passées, la tâche d'honorer un adversaire lui sembla un trop grand compromis.

Huene tomba rapidement sous le charme de la nouvelle idole de l'écran, Greta Garbo, qu'il vit pour la première fois dans *La Rue sans joie* de G.W. Pabst (1925). Dans son âge mûr, il deviendra son ami mais, à cette époque, il pensa seulement : « Voici un type entièrement nouveau d'actrice de cinéma, une jeune femme moderne, différente et fraîche. Elle semble posséder une simplicité combinée à une sorte de pathétique mystérieux plein de dignité et d'amour non partagé. Je ne pourrai jamais l'oublier[3]. »

Très vite, le jeune homme se glissa dans le monde du cinéma. La seule chose de valeur qu'il eût sauvée et ramenée de Saint-Pétersbourg était son smoking,

Virginia Kent et Peggy Leaf, simples tenues de ville de Lelong, 1934. Cette prise de vue, effectuée par Huene pour Condé Nast lors de l'un de ses relativement rares reportages de mode hors des studios, illustre la nouvelle image de la femme qu'il contribua à créer. L'élégance détendue et l'air d'indépendance du modèle répondent à la question qu'il se posait alors : « Comment représenter la femme moderne à la vraie lumière de notre époque? »

Page opposée : le logotype que Huene conçut pour Yteb, la maison de couture de sa sœur Betty, vers 1925. *Au verso :* à gauche, une carte que Yteb distribua à l'occasion de Pâques, à droite, une dessin pour *Harper's Bazaar.* Les deux en 1925.

et il put en tirer profit en devenant figurant. Huene évoque ainsi la vie quotidienne au studio d'Épinay des Films Éclair :

Il fallait se lever à cinq heures du matin et prendre un tramway pour sortir de la ville. C'était toute une aventure et un monde nouveau : cela m'enseigna à éclairer les gens et les décors. J'observais comment ils faisaient et j'étais fasciné par la caméra et la photographie[4].

Le monde du rêve en celluloïd n'offrait cependant pas de véritables moyens d'existence (Huene fit un jour un essai pour une scène d'amour mais il ne fut pas retenu) et il dut chercher quelque autre possibilité dans son entourage. Sa sœur Betty, installée à Paris depuis 1917, lui trouva un débouché. Helen et elle travaillaient dans la couture – Helen pour le modéliste Robert Piguet, Betty à son propre compte. Sa maison, Yteb, prospérait et elle avait besoin d'aide pour sa publicité. Connaissant les talents artistiques de son frère, elle lui offrit de travailler pour elle et de loger dans son grenier.

Huene fut ravi de cette proposition. Il aimait dessiner et cette offre pourrait lui donner l'occasion d'utiliser et de développer ses compétences. En plus des croquis pour le catalogue, il y aurait des événements mondains à décrire, des cartes de vœux à dessiner, des annonces publicitaires à concevoir. Il se jeta à corps perdu dans le travail.

Les exigences des affaires et le rythme auquel il lui fallut produire ravivèrent son intérêt pour la technique. Sachant qu'un illustrateur de premier ordre pouvait gagner un beau salaire et conscient de ses propres limites, il se mit à fréquenter la Grande Chaumière et Colarrosi – académies de peinture où les étudiants travaillaient 5, 10, 20 minutes au plus d'après modèles vivants, améliorant leur vitesse d'exécution comme leur capacité d'observation. Ce milieu le stimulait, et son habileté se développait rapidement.

Cependant il s'aperçut bien vite que seul un professeur exceptionnel pourrait lui faire faire des progrès décisifs. Après s'être soigneusement renseigné, il se décida pour l'atelier d'André Lhote. Ce cubiste était un théoricien admiré, resté surtout connu pour ses écrits et son enseignement; parmi ses étudiants devenus célèbres, on peut citer Henri Cartier-Bresson et Pavel Tchelitchev.

Huene décrit le style de Lhote comme « une manière bien connue de faire alterner les lignes et les courbes[5] ». Le cubisme de Lhote s'opposait à la théorie cubiste radicale par une transformation géométrique plus directe de l'expérience visuelle. Huene trouva ses leçons fécondes et incorpora bientôt ces connaissances et cette technique nouvellement acquises à son travail pour Yteb, et le logotype qu'il conçut pour l'entreprise de sa sœur en est un exemple.

La Femme de l'artiste par André Lhote, peinte en 1923, un an avant que Huene suive ses cours.

Yteb n'était qu'un premier pas dans ce nouveau milieu professionnel. Un autre débouché, plus lucratif, s'offrit bientôt à lui. Un fabricant « pirate » l'employa pour copier les modèles des couturiers dans leurs moindres détails, tâche qui consistait à voir toute une collection comprenant au moins une centaine de robes, puis à se précipiter vers sa table à dessin pour les reproduire, avec leurs accessoires. Cette activité, qui exigeait une mémoire exceptionnelle, devait donner la mesure des talents de Huene. Bien que les aspects désagréables de cette affaire ne lui échappassent pas, il reconnut que la discipline exigée par ce travail pourrait lui servir à l'avenir. La même année, il revint à de plus respectables occupations. A partir de 1925, il vendit des illustrations au *Harper's Bazaar,* à *Women's Wear* et au *Jardin des Modes.*

Le succès qu'il remporta dès le début et les encouragements de ses clients, de sa famille et de ses amis, le poussèrent à s'embarquer avec Man Ray, qui était

G.H. HUENE.
PARIS

devenu son grand ami, dans une entreprise hardie. Ils avaient décidé de sortir ensemble un carton des « plus belles femmes de Paris », comme dit Huene. Chaque sujet devait présenter une parure différente, un bijou, une fourrure, un foulard ou un chapeau. « Man prendrait les photos et je fournirais les modèles, ainsi que les accessoires et le décor. Les dames étaient remarquablement belles et la photo de Man éblouissante. Cela attira l'attention d'un rédacteur de mode à *Vogue,* Américain de naissance, Main Bocher (qui se rendit célèbre, plus tard, comme couturier sous le nom de Mainbocher), surtout la photo de la baronne Eugénie de Rothschild. C'était un scoop et *Vogue* ne voulait que celle-là, mais Man et moi, nous n'avons pas cédé et préféré vendre notre carton à un grand magasin de Nouvelle-Angleterre[6]. »

Page opposée : un dessin de Huene pour une couverture du *Fairchild's International Magazine,* août 1925.

Néanmoins, Main Bocher, impressionné par leur manière de traiter ce projet, s'offrit à organiser une rencontre entre le jeune illustrateur et Edna Woolman Chase, rédacteur en chef de *Vogue.* (Dans ses souvenirs, l'ami de Huene P. Horst (voir plus loin p. 32) attribua l'initiative de cette entrevue à la mère de Huene.) Après avoir discuté, poliment, des termes avec Mme Chase, Huene signa un contrat qui accordait à *Vogue* l'exclusivité de sa production. Comme il le dit, c'était son « premier job », et il était ravi.

Il eut, tout de même, quelques inquiétudes – après tout, ne perdait-il pas sa chère indépendance? De plus, il n'approuvait pas tout à fait Mme Chase. Sa condescendance envers ses propres lectrices le déconcertait. « Ce n'est pas la vanité mais la certitude de mes capacités créatrices qui me fit inverser les rôles et je laissai entendre que c'était *Vogue* qui devait être honoré de *ma* présence. Mon arrogance était une forme d'autodéfense et, aussi longtemps qu'on eut besoin de moi, cela se passa bien[7]. » Pour sa part, Mme Chase n'aimait pas l'arrogance de Huene – « typiquement prussienne » – ni ses humeurs – « typiquement russes[8] ».

Il imprégna aussitôt le magazine de sa forte personnalité. Sur ses conseils, *Vogue* engagea une femme du monde bien connue qui saurait recruter, comme mannequins, la crème de la société parisienne. Il ne cacha pas non plus ses opinions

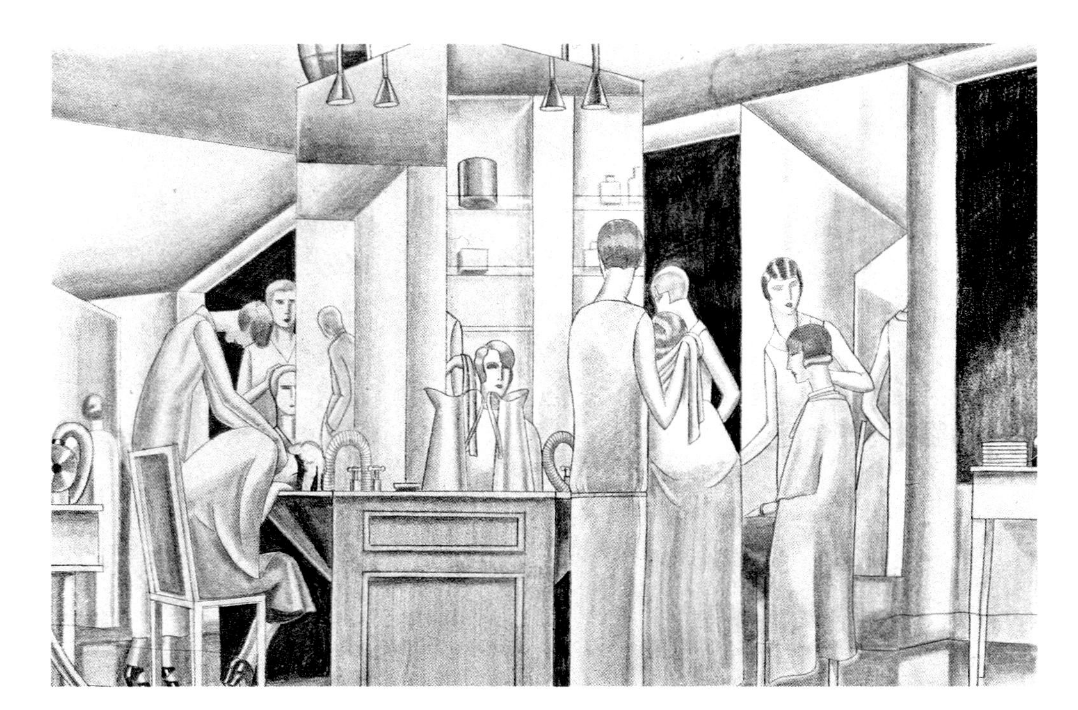

A quel prix cette gloire suprême? Un dessin de Huene pour *Harper's Bazaar,* 1925. Il était sous-titré : « Nous sommes assises dans une communion douce et humide, nos épaules se touchent presque. »

L'appartement de Huene, rue Saint-Romain, à Paris, 1931.

sur la politique et la gestion de la revue. Heureusement, ses illustrations continuaient à s'améliorer sous la pression du travail et des encouragements de Main Bocher. Lorsque *Vogue* ouvrit son premier studio de photo, on demanda à Huene de dessiner des toiles de fond pour les photographes et de jouer, en gros, le rôle d'assistant[9]. Une année après son arrivée, il avait compris toutes les opérations complexes et variées préalables à la prise d'une belle photo de mode.

Lors de nombreuses discussions amicales, Huene et Man s'étaient entretenus de la photographie qui devait tenir un grand rôle dans l'avenir de la revue. Huene n'avait pas oublié Man Ray et conseilla vivement au rédacteur de l'engager. Au cours de ces entretiens, l'astucieux Main Bocher décela chez Huene un intérêt passionné pour la photographie. Il pensait que son jeune protégé, par son souci des détails, son dynamisme et son enthousiasme, était mieux fait pour occuper ce poste.

Un jour, Main Bocher reçut du studio un appel au secours de Huene : le photographe prévu pour la séance de pose de ce jour-là n'arrivait pas. La robe et ses accessoires étaient prêts, les toiles de fond mises en place, le plateau soigneusement éclairé, et l'appareil de prise de vue chargé. Tout cela coûtait cher. Que fallait-il faire ? Le rédacteur aussitôt : « Prenez-la vous-même ! » Main Bocher savait-il que le photographe ne viendrait pas ? Peut-être voulait-il mettre à l'épreuve non seulement les talents de photographe de Huene mais encore sa souplesse professionnelle ; après tout, lorsqu'on est photographe de mode, il faut savoir résoudre les problèmes. En tout cas, le jeune homme sauta sur l'occasion et, à sa grande joie, vit sa photo publiée pleine page dans le numéro suivant de *Vogue*. Avec cet événement fortuit, ou cette épreuve, Huene franchit le seuil d'une nouvelle carrière.

En fait, il y avait déjà quelque temps qu'il tournait autour de la photographie. « Mes illustrations de mode s'amélioraient mais j'étais, par nature, inapte à ce travail. Je détestais les activités sédentaires. Inconsciemment, je cherchais un autre moyen d'expression. Maintenant, le sort en était jeté. Il fallait surnager ou sombrer. Je plongeais dans un nouveau monde qui m'était totalement inconnu[10]. »

Il eut alors à résoudre deux sortes de problèmes : d'un côté ceux imposés par les limites techniques de l'appareil photo, de l'éclairage et de la pellicule; de l'autre, ceux générés par des considérations d'ordre esthétique. Les problèmes techniques étaient réellement impressionnants : « Nous avions un équipement d'éclairage très insuffisant et l'appareil photo était une machine peu maniable. Il n'y avait pas de cellule et l'émulsion de la plaque était infiniment plus lente que la pellicule la plus lente d'aujourd'hui[11]. » Sur le plan esthétique, Huene s'efforçait de dépasser les limites imposées par la technique pour y apporter des réponses conceptuelles. Les photographes de mode s'étaient, à quelques rares exceptions près, montrés peu créatifs dans leur travail. Les mannequins ressemblaient trop souvent à des séchoirs à linge posés tout raides devant l'appareil. Le mouvement, l'atmosphère, la sensualité, n'étaient presque jamais rendus. « Je ne cessais de m'interroger sur la façon dont je pourrais représenter la femme moderne à la vraie lumière de notre époque[12]? »

Huene travailla parfois avec les artistes dont il fit la connaissance dans le Paris des années 30 : ce collage de Salvador Dali, *Portraits des Dali dans « l'instant sublime »* (1939), contient une photo du peintre et de sa femme par Huene.

Huene fréquenta, en quête de réponses, le milieu artistique des années 20. Dans les cafés, il rencontra une forme de pensée peu orthodoxe très stimulante qui le conforta dans son style de vie original, et un groupe d'amis prêts à risquer la désapprobation de la société afin de poursuivre leurs visions personnelles exaltées. Il fit connaissance, avec plaisir, de personnages aussi différents que Kiki de Montparnasse, Jean Renoir et Gurdjieff. Avec des amis dans les rangs des dadaïstes, des expressionnistes, des romantiques et des néo-romantiques, Huene n'eut aucune difficulté à rester au courant de l'évolution du monde des arts, mais bien que gardant un esprit ouvert, il ne se laissa jamais emporter par des engouements, ni isoler dans une chapelle. Il n'avait aucune raison de mettre en doute les bases de son éducation. Il cherchait des idées utiles et non quelque vague notion du sens de la vie. Et si sa situation à *Vogue* l'ancrait dans le monde du commerce, elle lui procurait aussi la sécurité, une certaine notoriété et des entrées dans le monde.

Parmi ses amis, autres que ses collègues photographes, il comptait Joan Miró, Salvador Dali et André Derain, Paul Poiret, Jean Renoir et Erik Charell. Des femmes qu'il admirait le plus, on peut nommer la princesse Nathalie (Natasha) Paley et sa demi-sœur la grande-duchesse Maria Pavlovna, la charmante hôtesse Marie-Louise Bouquet, Joséphine Baker, Suzy Solidor et Coco Chanel, qui, par son goût du chic et par la conscience qu'elle avait de sa propre valeur, lui était très proche.

Deux peintres, Pavel Tchelitchev et Christian Bérar, dit Bébé, ont beaucoup compté pour lui. Au début de leur amitié, Pavel l'avait poussé à enrichir son esprit : « Tu ne connais rien aux choses intellectuelles[13] », l'avait-il averti. Et de Bérard, Huene écrivit : « A cette époque, il eut la plus grande influence sur ma vie[14]. »

Les origines de Techlitchev ressemblaient singulièrement à celles de Huene. Aristocrate dont la famille possédait de grandes propriétés à la campagne et en ville, il avait, lui aussi, reçut une instruction non académique des mains de précepteurs et de membres de sa famille. Très tôt, il s'était amusé des lubies des couturiers et des caprices du milieu de la mode. « Il avait gardé les manières d'un barine du XIXe siècle[15] », nous dit son ami Lincoln Kirstein. La révolution l'obligea, comme Huene, à quitter pour toujours la Russie. Lorsque Huene arriva à

Charles Peignot par Huene, 1934. Peignot, directeur de la revue annuelle *Photographie,* contribua à étendre le renom de Huene.

* En français dans le texte.

Page opposée : Pavel Tchelitchev par Huene, qui a exprimé son affection en y incorporant son propre bras, Paris, vers 1930.

Paris, Tchelitchev s'y était déjà intégré en tant qu'artiste. Il peignait de fabuleuses couvertures pour de luxueuses revues professionnelles, exposait ses peintures à l'approbation enthousiaste du public et brossait des décors spectaculaires pour Diaghilev et Louis Jouvet. Huene était fasciné par les œuvres de son ami, et impressionné lorsqu'il déclarait qu'il était le « plus grand artiste russe depuis les peintres d'icônes Andreï Roublev, Daniel Chorney et Théophane le Grec[16] ». Il admirait le talent de dessinateur de Tchelitchev, son esprit novateur (la projection d'un film pendant un ballet, par exemple) et son amour de la véritable élégance (il fut le premier à voir dans les vêtements tels que les bleus de travail et les surplus de l'armée matière à réelle innovation). Dans cette similitude entre les deux amis, une seule dissonance : Huene avait détesté un père arrogant tandis que Tchelitchev avait été aimé par le sien. Peut-être les sentiments de Huene s'en trouvaient-ils teintés d'envie?

Comme le « néo-romantique » Tchelitchev, Christian Bérard (voir planche 131) était peintre et bon décorateur de théâtre et de cinéma. Il avait travaillé pour Massine, Jouvet, Kochno et Cocteau, leur fournissant maquettes, décors et costumes. Bérard était flamboyant et outré, ce qui le rendait, disait Colette « indispensable aux premières ». Sa peinture était à l'opposé des rêves irréels de Tchelitchev. Un portrait de lui, tiré par Horst, irradie une élégance désinvolte à la limite de *l'ennui**. Huene respectait cet air d'autorité et appréciait ce lanceur de mode au goût irréprochable. Mais il admirait peut-être aussi chez le peintre ce qu'il n'était pas lui-même : un barbare, fracassant et outrancier... Un dionysiaque face à un Huene apollinien.

Le plus cher de tous était un jeune émigré allemand Horst P. Bohrmann (connu après la guerre sous le nom de Horst P. Horst et qui signait Horst tout court). Après des études d'art à Hambourg, il était venu en France pour travailler avec Le Corbusier. A son grand désappointement, il avait trouvé le grand architecte guindé et inflexible, et le projet sur lequel son *atelier** travaillait – un appartement pour un riche Mexicain – dépourvu d'intérêt. Errant dans les cafés de Paris à la recherche de quelque chose de plus fondamental, il avait rencontré Huene qu'il aima aussitôt. A sa grande surprise, le coup de foudre fut réciproque. Bientôt on les vit partout ensemble et, très vite, Huene s'arrangea pour que Horst louât un appartement contigu au sien.

Ayant abandonné Le Corbusier, Horst put rendre visite à son ami au studio de *Vogue* où il l'aida à monter les décors et à les éclairer. Une fois, il fut obligé de jouer le rôle de mannequin et figura dans certaines des plus célèbres composition de Huene (voir planches 58 et 66). Celui-ci emmena aussi Horst chez des amis hors de Paris. Si certaines de ces rencontres furent follement amusantes (Horst raconte comment Huene, dans un accès de dépit provoqué par une offense imaginaire, sauta par une fenêtre, au rez-de-chaussée, et atterrit honteusement sur le nez, dans les fleurs du jardin), d'autres se révélèrent décevantes. Un voyage dans le sud de l'Angleterre en compagnie de Cecil Beaton fut une expérience déplaisante pour Horst, traité avec condescendance par son compagnon. Mais les voyages à l'étranger, de travail ou de plaisir, apportèrent au jeune homme la mesure du rôle d'un photographe de mode.

Au printemps 1931, le Dr. Agha, directeur artistique américain de *Vogue,* de séjour à Paris, donna sa chance à Horst. Pourvu d'un temps de studio et d'un assistant, le jeune homme mit à l'épreuve les connaissances reçues de Huene et découvrit, avec grand plaisir, que les résultats étaient appréciés : sa première photo fut publiée dans *Vogue* en novembre. Elle fut suivie par une série de natu-

res mortes originales, sujet pour lequel il semblait posséder une aptitude particulière. Plus tard, lorsque *Vanity Fair* envoya Huene à Hollywood, Horst put supporter une double tâche; et il hérita du poste de Huene quand celui-ci quitta *Vogue*[17].

Parmi les amis de Huene, peu nombreux étaient ceux qui ne pouvaient passer aisément d'une forme d'art à l'autre. Lorsque les peintres n'étaient pas à leur chevalet, ils écrivaient et jouaient dans des films, créaient des décors, des rideaux, du tissu et des meubles, décoraient des automobiles ou inventaient de nouvelles approches des arts graphiques, de la typographie et de la publicité. Huene lui-même fit trois courts métrages, l'un avec le danseur Serge Lifar, le second, un drame familial, avec Nathalie Paley et Horst, dont ce dernier dit, « le film n'était pas seulement d'avant-garde, il n'avait ni titre ni intrigue, et ne passa jamais nulle part[18] ». Du troisième, nous ne savons rien, Huene apparut aussi dans *The Hands of Paris* de Seymour Nebenzal et, au début de l'année 1933, il mit en scène un documentaire sur la photo de mode pour *Vogue.* Malheureusement, nous n'avons retrouvé aucune copie des films de Huene[19].

Jean Cocteau demanda à Huene de travailler au *Sang d'un Poète.* Les Mémoires ne disent pas clairement quelle forme devait prendre cette collaboration. Peut-être Cocteau le voulait-il comme preneur de vue. En tout cas, Huene refusa. Horst évoque sa réaction arrogante : s'il devait y avoir un film, ce serait le sien et pas celui de Cocteau. Quelques autres projets se concrétisèrent : il participa à la déco-

Nathalie Paley et Horst; photo de plateau tirée d'un film d'amateur de Huene, sorti sans nom d'auteur en 1932.

Cartier-Bresson par Huene, 1935. Huene enviait la liberté que son petit Leica portatif procurait à Cartier-Bresson. (Voir aussi la planche 128.)

ration du nouveau club de la chanteuse américaine Bricktop (Ada Beatrice Queen Victoria pour ses amis) qui en parle ainsi :

C'était une grande salle au 66 de la rue Pigalle... J'avais demandé à Huene de s'occuper de l'éclairage... Neil Martin s'était chargé de la décoration. Il y avait des banquettes le long des murs et Huene les avait éclairées par-derrière, créant une atmosphère douillette et un peu mystérieuse. Il y avait d'épais rideaux de cuir autour de la porte et, en arrivant, on ne voyait que des ombres, les silhouettes des têtes..., tout était rouge et noir, et avec cet éclairage, eh bien, tout Paris en parla lorsqu'on l'inaugura, en novembre 1931[20].

Huene décora *La Quatrième République,* un petit restaurant de la rue Jacob fréquenté par des peintres surréalistes mineurs, que son amie Janet Flanner, correspondant du *New Yorker,* évoque en ces termes :

Le décor du bistrot était tout à fait d'avant-garde... Sur le mur de l'escalier circulaire qui s'élevait en coquille d'escargot... il avait peint une série de fausses marches, de style cubiste, frappante leçon de distorsion abstraite, car, en montant ou en descendant, si vous regardiez les faux degrés peints sur le mur, il y avait des chances pour que vous ne voyiez plus la réalité des marches de bois, sous vos pieds[21].

Huene se montrait aussi ingénieux lorsqu'il jouait le rôle d'hôte. Il donna une soirée costumée, dans les studios de *Vogue,* sur le thème du film de Sternberg, *Shanghai Express.* Parmi les célébrités, on peut citer Elsa Maxwell, Boris Kochno, Serge Lifar et Jean-Michel Frank; ce fut un succès formidable... jusqu'à ce que les invités se réveillent le lendemain, les yeux douloureux, à cause des lumières intenses des lampes à arc.

A la fin des années 20, à Paris, la photographie était en pleine mutation. Les professionnels exploraient de nouvelles possibilités en brisant les chaînes du commerce comme les conventions prétentieuses et ampoulées du « pictorialisme »,

« La femme moderne », telle que l'œuvre de Huene la présente dans *Vogue* : Colette Salomon, 1927.

une école de pensée qui, aux yeux de la nouvelle génération de photographes, semblait surtout viser une imitation servile des beaux-arts.

De jeunes passionnés se trouvèrent des champions en Allemagne, en Russie et aux États-Unis où des mouvements similaires fleurissaient. « Seul l'appareil photo a la capacité technique de donner une image vraie de la vie d'aujourd'hui », proclama Alexandra Rodchenko, en 1928. Les photographes tournaient leurs appareils vers le haut ou le bas sous des angles bizarres et faisait la mise au point sur des objets, des matières, des détails, que l'on considérait auparavant comme dépourvus d'intérêt. Ils prenaient des photos sans appareil et sans pellicule, perchés comme des oiseaux sur les tours de la radio toute nouvelle, ou à bord des derniers modèles d'avions, de dirigeables, de hors-bord ou d'automobiles qui battaient tous les records, tout en suivant les rapides développements de la technologie des appareils et des émulsions.

Les livres, les revues et les expositions consacrés à la photographie se multipliaient. Les revues d'art européennes ne reproduisant aucune photographie étaient l'exception. Les plus importantes pour la France, *Vu,* le *Minotaure* et *Verve* – fondées respectivement en 1928, 1933 et 1937 – publiaient les meilleurs photographes de l'époque, tels André Kertész, Germaine Krull, Robert Capa, Henri Cartier-Bresson, Herbert List, Bill Brandt et bien sûr Huene.

Ce dernier était très impressionné par les œuvres de Edward Steichen, Cartier-Bresson et Paul Outerbridge. Un court moment, alors que les mannequins inanimés faisaient fureur, Huene et Outerbridge travaillèrent ensemble, pour les dessiner puis les photographier[22]. Mais bien qu'il admirât son travail, Huene exclut toute possibilité d'une amitié intime avec lui : il ne pouvait tolérer longtemps le manque d'humour de son collègue.

Huene passa de longues heures avec Man Ray et rencontra brièvement Berenice Abbott qui avait été l'assistante, en chambre noire, de Man et qui s'installa à son compte comme portraitiste. Il aimait la compagnie de Charles Peignot, le directeur influent et serviable de *Photographie,* une revue annuelle somptueuse illustrée qui présentait les photographes les plus inventifs de ce temps. Au premier Salon indépendant de la photographie, en 1928 (modeste tribut à cette nouvelle forme d'art qui se tint dans un escalier de la Comédie des Champs-Élysées et se présenta, avec humour, sous le nom de « Salon de l'escalier »), les œuvres de Huene côtoyèrent celles d'Abbott, Laure Albin Guillot, Kertész, Krull, Man Ray, Nadar, d'Ora, Outerbridge et Eugène Atget.

Le monde de la mode fut un terrain propice aux tentatives créatrices de Huene. La Première Guerre mondiale avait transformé le concept même de vêtement féminin. La pénurie de tissus traditionnels avait conduit à la production de textiles synthétiques nouveaux et les femmes avaient porté des uniformes et exécuté des travaux de force nécessitant des vêtements plus fonctionnels et qui entravaient moins les mouvements. Brusquement, on prit conscience, comme le fit remarquer l'historienne de la mode, Anne Hollander[23], de la vraie structure du corps féminin.

Pour afficher son pouvoir et son prestige, la hiérarchie sociale exigeait de la mode d'autres symboles. La classe et la richesse ne suffisaient plus, il fallait aussi la liberté et la mobilité. Après des siècles de contrainte, les femmes demandaient une mode simple, fonctionnelle et juvénile, en accord avec les promesses d'une vie nouvelle.

L'orientalisme des Ballets russes, juste avant la guerre, avait été l'occasion d'un changement fondamental dans la mode féminine. De douces draperies flottantes et des couleurs hardies avaient remplacé les corsages collants, les jupes en corolle et les teintes pastel. Avec l'apparition de la jupe entravée, note James Laver, « toutes les femmes... avaient décidé de ressembler à une esclave de harem[24] ». Tout de suite après la guerre, la mode repartit avec la ligne « tonneau »... des jupes cylindriques et un air de garçonne. Cela aboutit à la robe courte de 1925, décriée par l'Église et d'autres autorités morales mais très appréciée par les femmes. Le style évolua vers l'androgynie, on effaça les courbes, les jeunes femmes coupèrent leurs longs cheveux. Mais il y eut aussi des retombées économiques lorsque, en 1927, les jupes raccourcissant au maximum, les fabricants de tissu virent fondre leurs bénéfices. Ils réagirent en prônant la robe du soir. Et à la fin des années 20 les jupes rallongèrent.

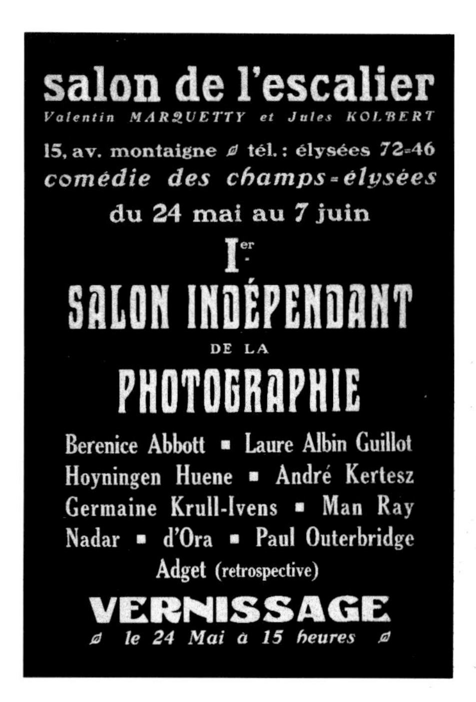

L'affiche de la première exposition de photos à laquelle participa Huene, 1928.

Une double page tirée de *Hoyningen-Huene : Meisterbildnisse* de H.K. Frenzel, un petit album de photos de Huene publié à Berlin en 1932.

Des forces économiques et politiques favorisèrent l'industrie de la mode; de nouvelles techniques de production industrielle et le développement de la soie artificielle allaient de pair avec la résolution de faire du vêtement une des premières industries de France. Il restait à vendre sur une grande échelle et c'est là que la photo entrait en jeu. Elle permettait de reproduire les robes des grands couturiers parfaitement à peu de frais quand, dans le même temps, les nouveaux magazines féminins à gros tirage les diffusaient en réplique à deux dimensions, rehaussées de quelque environnement exotique. Les vêtements eux-mêmes restaient peut-être hors de portée de la femme de classe moyenne mais « le vêtement-image » (pour citer Roland Barthes) pouvait facilement être acheté. Plus encore il représentait *la réalité* pour la majorité des femmes. Les vrais vêtements étaient, en un sens, purement imaginaires. Selon Barthes, la moitié des Françaises au moins lisent régulièrement un magazine de mode, donc : « la description du vêtement de mode (et non plus sa réalisation) est un fait social... un élément incontestable de la culture de masse[25] ».

Ce phénomène nouveau peut également se mesurer en termes comptables. La photographie allait détrôner le dessin. En 1930, elle ne comptait que pour un tiers dans le budget illustration de *Vogue* et *Vanity Fair;* en 1933, les parts étaient à égalité. En 1940, la photo s'attribuait la part du lion[26].

Il est certain que, comme l'a fait remarquer James Laver, « l'appareil photo servit à imposer certains types de beauté[27] ». Ces propos sans équivoque soulignent l'extraordinaire pouvoir de manipulation du média. On ne peut mettre en doute cette réalité. Mais les mots ont joué un rôle complémentaire. Si voir, c'est croire, la parole écrite sanctifie.

Mais il restait à déterminer *quels* types de beauté imposer, et ici intervint le modernisme. Tous les objets fabriqués ont été minutieusement étudiés par les modernistes et les femmes étaient encore les plus prisés de tous les « objets ». Poiret a été le premier à rejeter toute prudence avec ses modèles simples et hardis et ses brillantes couleurs. Il fut bientôt suivi par des couturiers inventifs comme Chanel, Alix, Vionnet, Schiaparelli et Balenciaga qui, tous, réagissaient à l'avant-garde. Le cubisme les aida à voir d'un œil nouveau leurs créations, avec une perception simultanée de profil et de face. Cette école les aida aussi à découvrir les principes qui régissent les structures en ondulations, en sections décroissantes et en lignes contrastées. « Le plan, le cône, la sphère et le cylindre ont acquis une réelle logique! » déclarait avec force une publicité de mode.

Le néo-classicisme était terriblement en vogue. Des hommes comme André Gide, Igor Stravinski, Arthur Honegger et Jean Cocteau, croyaient que l'Antiquité classique pouvait faire pression sur le présent, que l'idéal antique pouvait adoucir les principes prétendument rationnels et déshumanisants de l'âge de la machine. Pas de meilleur exemple de cet enthousiasme que ces phrases tirées d'une préface à un mince album de portraits de Huene paru en Allemagne en 1932 :

> Le monde antique célébra son entrée à Montmartre au rythme du jazz. Des colonnes ioniques s'érigèrent à côté des cheminées d'usine, des temples grecs le long des dépôts et des tunnels de chemin de fer, Monte-Carlo devint l'Hellade, l'Hellade devint Monte-Carlo; les femmes et les hommes du monde, de Paris, de Londres, de New York et de Biarritz, goûtèrent la lumière du soleil parmi les piédestaux du haut desquels les dieux de la Grèce antique regardaient la Terre, dans un silence absolu, entre les chevaux qui s'ébrouent et les héros musclés[28].

Au nombre des couturiers qui s'inspirèrent du monde antique, on peut noter Alix Barton (plus tard Mme Grès). Elle ne créait pas ses modèles sur le papier mais sur les mannequins mêmes. En drapant le tissu sur leurs corps, elle travaillait directement sur sa matière, ce qui lui permettait de réagir spontanément aux volumes et aux contours. Les robes d'Alix étaient fluides, harmonieuses et sculpturales. Plus tard, en Afrique, Huene découvrira des costumes indigènes qui lui rappelleront les robes d'Alix.

De Madeleine Vionnet, Huene écrit : « Ses vêtements étaient construits comme une architecture. La coupe de ses robes, souvent en biais, constituait un superbe équilibre d'unités géométriques, combiné à des robes d'une distinction royale, d'une texture, d'une couleur et d'un métier impeccables[29]. » Mais aux yeux de Huene, c'était Coco Chanel la plus inventive de tous les couturiers. Son style, fait de vestes de marin ou de pull-over masculins, de fourreaux de jersey de laine ou de robes du soir perlées, d'ensembles et de bijoux couture, avait « un aspect dépouillé d'un chic infini[30] », dit Elisabeth Ewing. « Chanel, c'est la mode du XXe siècle », affirme Huene, et il s'identifie à sa « confiance absolue dans son talent, sa compétence et son autorité[31] ». Il n'avait aucun mal à admettre cette déclaration impérieuse de son amie : « L'élégance, c'est moi. »

Huene admirait les couturiers pour la manière courageuse dont ils brisaient avec la tradition. Il croyait, comme eux, que la mode ne serait plus l'apanage exclusif des riches mais une force émancipatrice pour toutes les femmes. Par la photographie, il offrirait sa propre contribution à cet idéal. A vingt-cinq ans, il était avide

Cette publicité de Huene pour Caron (1934) prouve combien le culte des Anciens s'étendait à tous les domaines.

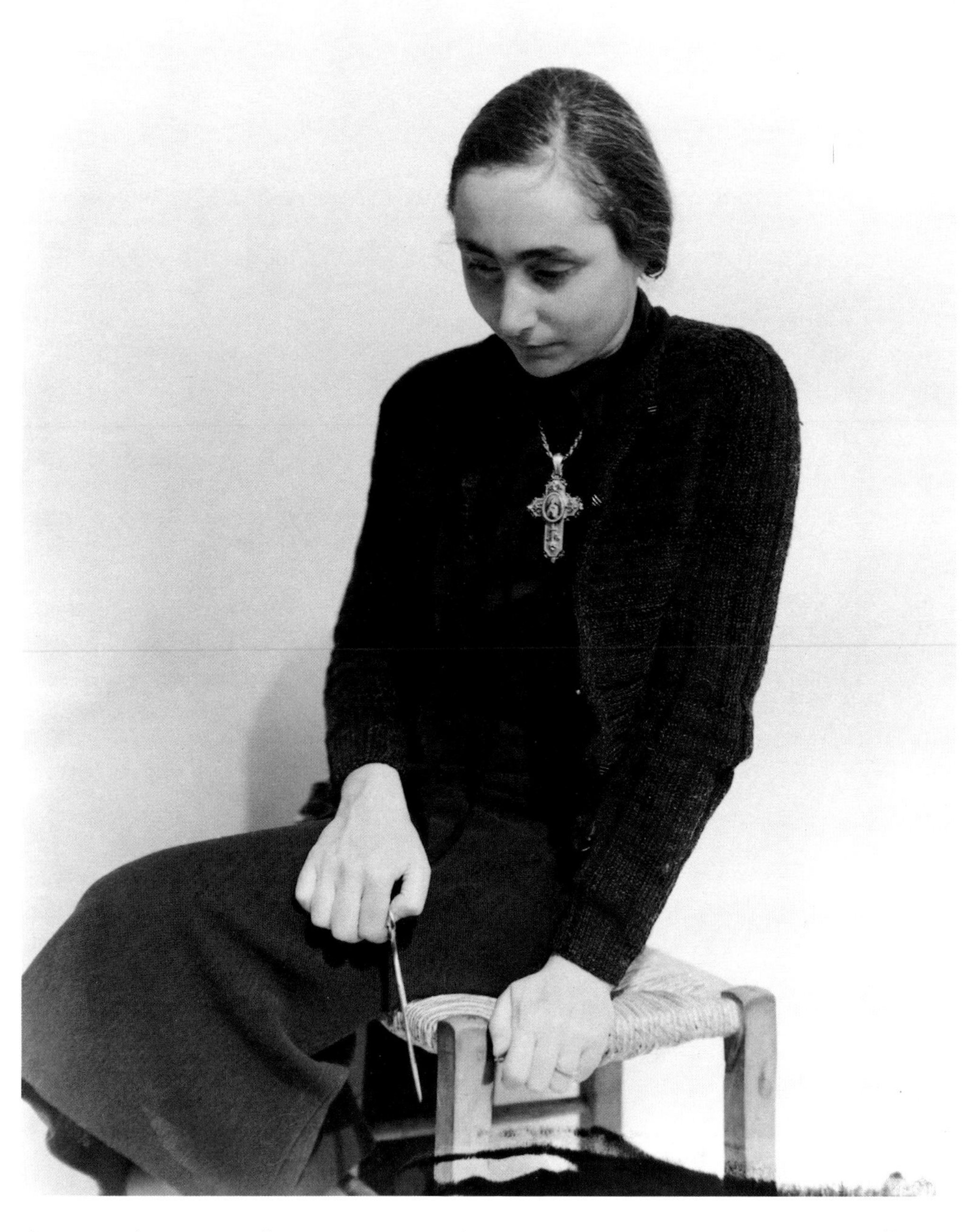

Alix Grès par Huene, 1937. « Madame Alix » était l'une des stylistes de mode que Huene admirait le plus ; l'élégance et la simplicité sophistiquées de ses vêtements, qui ressemblent souvent à une sculpture classique grecque, reflétaient exactement ses critères et ses sujets d'intérêt.

d'apprendre auprès des créateurs qui l'entouraient et, en même temps, suffisamment mûr pour formuler son propre style. Il travailla pour *Vogue,* à Paris, pendant près de dix ans (1926-35), adaptant, empruntant, découvrant et inventant. Si durant ces années, *Vogue* et sa sœur plus intellectuelle, *Vanity Fair,* amusèrent et ensorcelèrent leurs lectrices, elles en sont redevables pour une grande part aux conceptions de Huene.

COUTURE
ET
CLASSICISME

1 Evelyne Grieg et Toto Koopman, robes de Lanvin et Yrande, 1934

2 Lee Miller, robe du soir de Lanvin, 1932

3 Mme Hubbell, 1930

4 La baronne d'Almeida, boa de fourrure de Patou et chapeau de Reboux, 1932

5 L'Érechthéion, Athènes, vers 1937

6 Nana Gollner, robe du soir de Celanese, 1940

7 Wendy Inglehart, 1940

8 Robe du soir et cape de Patou, 1936

9 Lisa Fonssagrives, robe du soir de Vionnet, 1938

10 Agneta Fischer, 1928

11 Toto Koopman, robe du soir de Vionnet, 1934

12 Le Parthénon, Athènes, vers 1937

13 Peggy Leaf, robe de Augustabernard, 1934

14 Marthe Régnier et Jean-Pierre Aumont, 1934

15 Peggy Leaf, robe de Rouff, 1934

16 Colonnes des Propylées, l'Acropole, Athènes, vers 1937

17 Toto Koopman, robe du soir de Augustabernard, 1934

18 Miss Sonia, pyjama de soirée de Vionnet, 1931

19 Les Propylées, entre les colonnes du Parthénon, Athènes, vers 1937

20 Katina Paxinou, 1943

21 Robe du soir de Paquin, 1934

22 Jeanne Salmond et Mlle Boecler, robes du soir de Lanvin, 1934

23 Miss Nicole, robe du soir de Schiaparelli, 1934

24 Marie Wolkonsky, robe d'Alix, 1934

25 Modes en mousseline de soie, 1935

26 Toto Koopman, robe du soir de Augustabernard, 1933

27 Evelyne Grieg, robe de Rouff et chapeau de Talbot, 1934

28 Nimet Eloui Bey, cape de Rouff et chapeau de Suzy, 1933

29 Photographie de mode, vers 1940

30 Natalie Paley, chapeau de Reboux, 1931

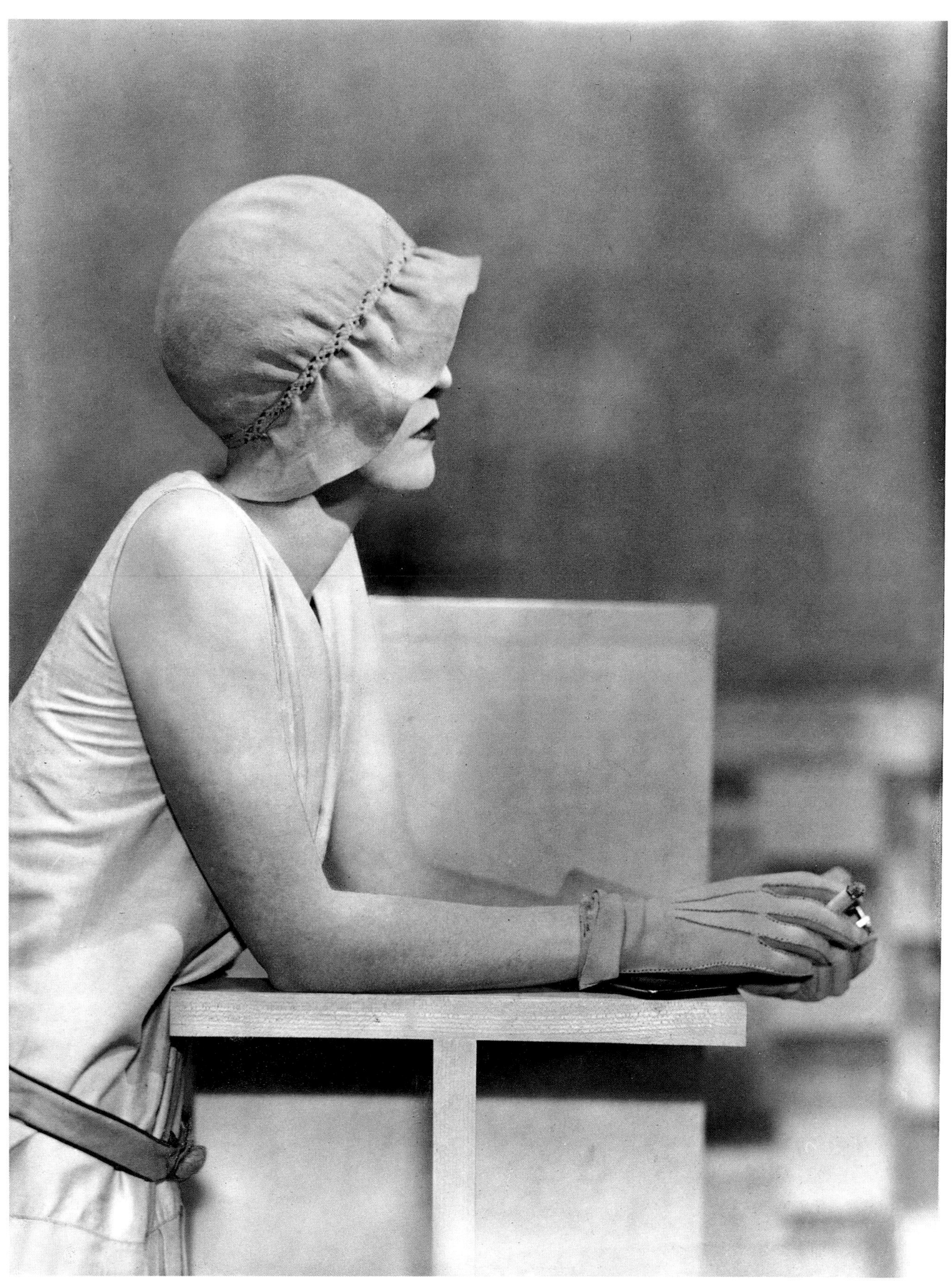

31 Robe de Schiaparelli, chapeau et ceinture de Maria Guy, 1929

32 Tenue de ville de Goupef, 1927

33 Inconnue, Berlin, vers 1930

34 La princesse Jean-Louis de Faucigny-Lucinge, chapeau d'Agnès, 1931

35 Simone Demaria, manteau de Rouff et chapeau d'Alphonsine, 1930

36 Mme André Lord, ensemble de Patou, 1931

37 Mme Nada Ruffer, cape de Heim, 1932

38 Mlle Stutz, chapeau de Talbot, 1929

39 Mme Muñoz, bijoux de Cartier, vers 1932

40 Mme Jean Bonnardel, manteau de Paquin et chapeau de Reboux, vers 1932

41 Robe du soir de Mainbocher, bijoux de Cartier, 1935

42 Nimet Eloui Bey, robe du soir de Mainbocher, 1935

43 Lee Miller, coiffure de Callon, 1930

44 Mme Lucien Lelong, robe de Lelong et chapeau de Maria Guy, 1931

45 Anna May Wong, 1929

46 Temple, Bangkok, 1937

47 Adrienne Ames, 1934

LES PRÉMICES D'UN STYLE

La situation de Huene chez Condé Nast était enviable. Par bien des côtés, il convenait idéalement à l'emploi : qui, parmi ses concurrents possibles, possédait son savoir-faire, ses relations, ses connaissances et ses amitiés solides dans le milieu artistique? Il savait que la réponse à cette question était en partie liée au récent passé, dans les réalisations remarquables du baron de Meyer et d'Edward Steichen qui furent, à tour de rôle, photographes en chef à *Vogue.* Leur style très élaboré, leur goût pour les expériences (de Meyer choqua un jour une douairière en éclairant son corsage juste une seconde avant de déclencher l'obturateur), avaient préparé la voie à Huene conscient des risques qu'il lui faudrait courir dans la recherche de son propre style. Leur succès était pour lui le meilleur des encouragements. Ils avaient fait reculer les frontières de la photographie de mode, et le respect de Huene était fondé sur un examen comparatif attentif de leurs œuvres et de celles existant auparavant, non seulement dans leur domaine, mais dans la photo d'art en général.

Avant 1914, lorsque de Meyer avait été engagé par Condé Nast, la photo de mode n'était qu'une question de documentation. Même s'il existe un petit nombre d'études « expressives[1] », absolument pas typiques du genre, et quelques images de la société mondaine, de Meyer fut le premier à faire de la photo de mode en créateur professionnel, et ce n'est pas pour rien que Cecil Beaton l'appela une fois, « le Debussy de la photographie[2] ».

Huene lui attribuait, à bon droit, plusieurs réussites en ce domaine. D'abord, il avait fait respecter ce métier. Jusqu'à de Meyer, explique Philippe Jullian dans une biographie, « un homme du monde pouvait tout juste publier ses poèmes ou peut-être exposer ses aquarelles, mais quant à photographier ses amis et à vendre les tirages... impossible! Un photographe était alors un petit homme que l'on envoyait chercher à la fin d'une soirée pour fixer sur une plaque les membres de la famille, groupés en ordre de préséance, autour de quelque illustre invité. Ou bien c'était le propriétaire d'un studio, comme Lafayette ou Reutlinger, qui se servait d'astuces d'éclairage ou de décor pour que ses modèles aient l'air d'avoir posé pour un peintre académique[3] ». Le baron et sa femme Olga étaient considérés comme terriblement chic, et, avec son air détaché et son élégance, de Meyer jouait à l'amateur dans cet art qu'il ne mettait qu'à la troisième place dans la liste de ses passe-temps favoris[4], après la musique et la peinture. Malgré cette désinvolture apparente, nous savons maintenant qu'il faisait son travail avec le plus grand sérieux. Il écrivit une fois à son ami Alfred Stieglitz que s'il prétendait être « le meilleur photographe du monde » – attitude avalisée par *Vogue* et *Vanity Fair* – c'était « un bluff nécessaire[5] ».

Il est clair que Huene vit ce qu'il y avait derrière cette pose. Il nous dit ce qui, dans les photos de De Meyer, l'impressionna :

Avec un air mystérieux, elles faisaient de chaque femme une vision de rêve ou une apparition dans

La quintessence de l'art de Meyer : un portrait d'Helen Lee Worthing, la vedette des *Follies,* en 1920, époque où le baron était à l'apogée de son renom.

un aquarium éclairé à contre-jour. La plupart de ses sujets se détachaient sur des fonds chatoyants flous et accentués par l'éclairage principal, et, par contraste, le sujet semblait plongé dans un contentement diffus et uniforme. De Meyer avait étudié avec Gertrude Kasebier qui fut, paraît-il, la première à introduire le contre-jour... Il est incontestable que de Meyer était un maître de la technique ce qui lui donna, en toute justice, une position éminente dans le domaine de la photo d'art[6].

Huene n'eut pas, dans l'exercice de son métier, l'extravagance du baron. Il appartenait à une autre époque et les prétentions de l'école « pictorialiste » que de Meyer avait adoptées – les imitations de fusain ou les effets de pastel, par exemple – n'étaient plus en faveur. Dans l'essence de son style, Huene allait suivre le modernisme de Steichen, bien qu'un certain nombre de ses photos, même parmi ses

Edward Steichen par Huene, en 1941. Steichen était alors photographe de guerre pour le compte du gouvernement américain.

dernières œuvres pour *Harper's Bazaar,* démontrent qu'il répugnait à rejeter entièrement les procédés romanesques du baron. Dans sa série de six images « à la manière » d'autres photographes célèbres (voir p. 94), il fit un merveilleux facsimilé d'une photo baroque de De Meyer. Ce n'était pas seulement pour s'amuser, mais pour lui rendre hommage.

Aux yeux de Huene, Edward Steichen était la plus grande figure de la photographie depuis son invention. Il avait connu ses œuvres bien avant d'entrer à *Vogue,* en 1923 . « Depuis des années, j'admirais les chefs-d'œuvre de Steichen, sa fameuse étude de Rodin contemplant *Le Penseur,* ses portraits de George Bernard Shaw, d'Isadora Duncan, et celui, prodigieux, de J. Pierpont Morgan, avec

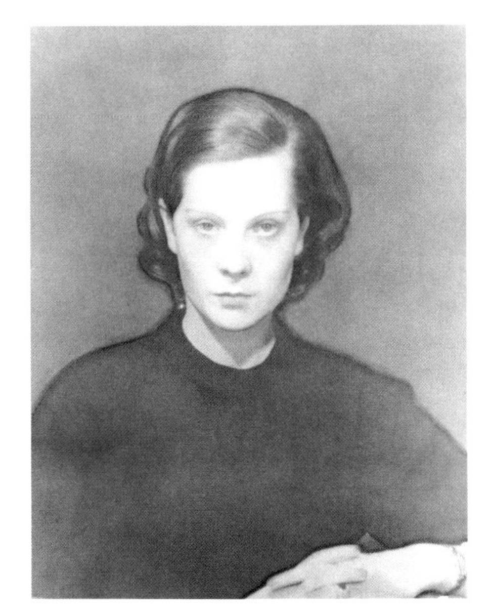

« L'homme derrière l'appareil photo » : six portraits de Mme Lucien Lelong par Huene, à la manière de différents photographes. *Sur cette page :* Edward Steichen *(en haut à gauche),* Man Ray *(en bas à gauche)* et Cecil Beaton *(à droite). Page opposée :* le baron de Meyer *(à gauche),* Helmar Lerski *(en haut à droite)* et David Octavius Hill *(en bas à droite),* 1933.

la lumière sur le bras du fauteuil comme une dague dans la main du milliardaire[7]. » Maintenant il pouvait apprécier, en professionnel, les photos de mode de Steichen : elles « étaient nettes et précises, tout le contraire de celles de Meyer. Les mannequins de Steichen étaient vivants et semblaient sur le point de sortir de la page du magazine[8] ». Huene approuvait ses portraits de femmes... des créatures hardies et indépendantes, résolues et pourtant détendues. Au contraire, celles du baron de Meyer étaient les plus précieux des objets, de plus en plus anachroniques dans l'ordre social d'après-guerre.

Il appréciait tout autant la technique de Steichen. Huene notait sa maîtrise des noirs compacts et des blancs purs, ses brillants accents de lumière et son utilisation d'éclairages généraux et diffus pour pénétrer les ombres. Il pensait que les photos aériennes que Steichen avait prises pendant la Première Guerre mondiale, pour les Américains, lui avaient donné une connaissance nouvelle des structures, des lignes et, plus important encore, de la clarté visuelle... facteur essentiel étant donné que des images à haute définition permettaient une bien meilleure reproduction en photogravure.

Le dessin de mode s'inspirait autant de la photographie que l'inverse. Cette illustration de Dougas Pollard, *Chapeau d'Alphonsine* (1927) (à droite), anticipe des photographies telles que le portrait de l'actrice Élisabeth Bergner pris par Huene en 1933 (page opposée).

Lors de ses séjours en France, Steichen permit au jeune photographe de le regarder travailler. Huene l'observa attentivement et prit note des conseils de son mentor. Parmi les techniques qu'il préconisait, il y avait la rapidité : « Ne pas laisser le mannequin s'ennuyer. Ne jamais avouer que vous êtes embarrassé, même si c'est le cas. Les idées viendront en travaillant. Ne perdez jamais le contrôle de votre modèle. Pas de pause. Ne cessez pas de prendre des photos. Et quand vous sentez que ça y est, arrêtez[9]. » Des conseils pragmatiques de ce type, transmis directement à l'apprenti élu, cela n'avait pas de prix. *Vogue* et *Vanity Fair* publièrent également quelques conseils aux photographes débutants. Dans leurs descriptions idéalisées, le photographe gardait *toujours* le contrôle de la situation. Huene mit de côté les coupures de presse des conseils attribués à Steichen. « Non seulement le photographe dirige ses assistants mais il joue le clown, l'enthousiaste, le flatteur. Il agit et parle d'autre chose tandis que son esprit surveille la construction de l'image – ses lumières, ses ombres et ses lignes. Les exigences spécifiques d'une photo de mode : la distinction, l'élégance et le chic[10]. »

Condé Nast évoquait souvent la maîtrise de Steichen à *Vogue* et semblait croire sincèrement que la technique de ce photographe et son style ne pouvaient être surpassés. Nast exhortait les jeunes à adopter ses méthodes et cela allait, pensait Huene, jusqu'à l'imitation servile. Sans jamais reprocher à Steichen sa position, il se rebella, bien déterminé à imposer son style.

Huene ne fut pas seulement influencé par des photographes. Il avait une grande admiration pour les illustrateurs de talent qui embellissaient les pages de *Vogue,* et dont beaucoup avaient débuté dans une petite revue raffinée, *La Gazette du*

Bon Ton : Georges Lepape, André Marty et Édouard Benito, par exemple. Il appréciait les diverses influences qu'ils avaient assimilées – le fauvisme de Matisse et de Van Dongen, l'abstraction géométrique de Mondrian ou le surréalisme de Dali et de De Chirico – et l'enthousiasme avec lequel ils se maintenaient à la pointe du mouvement moderne. Le propre style de Huene révélait une affinité avec la froide élégance de Polly Francis, un Américain qui vivait à Paris ; avec Benito qui aimait les structures audacieuses et les lignes sévères ; avec Lepape et Ernst Dryden, dont les créations traduisaient la nouvelle liberté de mouvement que l'automobile et l'avion accordaient à la femme moderne ; et avec Douglas Pollard dont la robuste clarté de composition et les femmes détendues et sûres d'elles ressemblaient aux siennes[11]. En tant que photographe attaché à un studio, Huene enviait les illustrateurs qui pouvaient saisir les femmes dans des situations spectaculaires. Ses propres décors très élaborés révélaient sa détermination à combiner des images aussi saisissantes. « N'y avait-il pas moyen de donner une image des femmes telles qu'on les voyait dans leur milieu naturel, s'arrêtant un moment au milieu de leurs activités quotidiennes et non pas posant pour un photographe ? se demandait-il. Les photographes n'avaient pas encore saisi les attitudes et les gestes des femmes. Les mannequins semblaient se figer devant l'objectif, comme si elles posaient devant un peintre, alors que les meilleurs illustrateurs de mode les rendaient comme ils les voyaient dans la vie. N'y avait-il pas moyen d'arriver au même résultat en photo[12] ? »

Quand on pense à l'équipement moderne, on saisit l'importance des difficultés techniques d'alors. Les plus petits appareils pouvaient permettre de faire des instantanés mais la seule pellicule compatible avec eux avait trop de grain et ne permettait pas de réaliser des reproductions satisfaisantes. Les appareils plus grands, qui donnaient de bons résultats, utilisaient des plaques à émulsion lente et exigeaient, pour chaque prise, des préparations techniques délicates et longues. Huene décrivit « le moment angoissant » où après avoir visé à travers le verre dépoli et mis au point sur le sujet, on choisissait un diaphragme et fermait l'obturateur, on insérait la plaque, on enlevait le couvercle du porte-plaque, on maintenait l'appareil fixe et on effectuait le temps de pose. Huene évoque sa frustration. « Si pour quelque raison le sujet avait bougé durant les manipulations, il pouvait sortir du champ, il fallait tout reprendre de zéro. Les retards limitaient nos possibilités et les résultats tendaient à devenir statiques. Même en travaillant vite, créer une impression de mouvement semblait un problème insoluble[13]. »

La lumière était aussi difficile à maîtriser. Huene expérimentait pour déjouer les pièges qu'elle posait. Il se battait avec les ombres doubles qui se recouvraient et menaçaient la forme principale et son volume. Il avait aussi du mal à détacher le sujet du fond sans perdre les subtiles valeurs de l'arrière-plan qu'il voulait garder. Plus il progressa, plus il dut reconnaître que la complexité des problèmes inhérents à l'éclairage en studio augmentait au lieu de diminuer. Il en vint à apprécier la remarque désabusée de Steichen, « La lumière est un charlatan[14] ».

Les difficultés ne faisaient que s'accroître avec les exigences différentes des couturiers, des rédacteurs des diverses rubriques – mode, accessoires, beauté – et des mannequins. Chaque toilette nécessitait une approche nouvelle. Chacune devait être mise en valeur par des gestes et des mouvements appropriés. Afin que la photo soit vivante, il fallait que les mannequins donnent une impression de naturel absolu. Huene devait transiger avec ce qu'il appelait la « structure » de chaque mannequin. Il travailla, durant les vingt années à venir, à projeter sur la pellicule une ambiance convaincante, une féminité et une grâce, ou plutôt un « charme intérieur » comme il se plaisait à le dire.

LES CARACTÉRISTIQUES D'UN STYLE

Le style de Huene représente la quintessence de l'élégance fonctionnelle du début des années 30. Il s'apparente en esprit au pavillon de l'Allemagne de Mies Van der Rohe de l'Exposition internationale de 1929 à Barcelone, aux meubles de Marcel Breuer, aux fauteuils de Charlotte Perriand, à la Health House de Los Angeles de Richard Neutra, et aux affiches de Cassandre; l'esprit du temps que l'on peut résumer en un seul mot : « exactitude ». Le style de 1930, pour K.J. Sembach, égale « précision, luminosité, transparence, pertinence, sensibilité à la matière, logique, et liberté vis-à-vis des sentiments et du dogme[1] ». Dans le domaine de la mode, il s'incarnait dans la personne de Mrs. Wallis Simpson, plus tard duchesse de Windsor, habillée avec élégance par Molyneux (voir planche 129).

Afin d'apprécier pleinement le style personnel de Huene, commençons par sa maîtrise de l'éclairage. Étant donné la technique relativement rudimentaire des appareils de l'époque et le peu de sensibilité de la pellicule (exclusivement en noir et blanc), il était normal que le photographe s'attache à l'élément le plus malléable... la lumière. Dans les confins d'un studio, seule la manipulation des sources de lumière pouvait transcender les quatre murs et créer l'illusion d'un espace illimité. Un photographe de mode ne pouvait prendre que peu de liberté avec la robe, les accessoires ou le mannequin, mais l'éclairage était son domaine exclusif et il pouvait façonner la lumière en un millier de formes créatrices.

Technicien accompli et artiste de talent, Huene apprit à fabriquer des images complexes en formant, avec les noirs, les blancs et les subtils demi-tons, un somptueux clair-obscur. Il employait toute une gamme d'éclairages de son invention et s'enchantait des possibilités d'expression contenues dans la profusion initiale d'ombres imbriquées. Il suffit de voir ses premiers dessins, avec leurs ombres saisissantes, pour comprendre que ses études du cubisme l'aidèrent à résoudre les problèmes posés par un déploiement de lumières. Dans ses illustrations, les motifs géométriques des ombres semblent avoir été, au yeux de l'artiste, aussi importants que la matière première du sujet, les robes elles-mêmes.

A chaque reportage, Huene s'évertuait à aborder différemment la lumière, tout en gardant à l'esprit les caractéristiques les plus frappantes des vêtements. Il tenait toujours compte des intentions du couturier. La simplicité de l'image répondait à celle du vêtement. Lorsqu'une robe avait une coupe étonnante, il projetait sa silhouette agrandie sur le mur du fond; il pouvait aussi créer un motif fait de plusieurs silhouettes en employant plusieurs éclairages selon des angles différents. Lorsqu'il devait mettre en valeur des courbes sensuelles, un tissu diaphane ou des chapeaux ornés de plumes, il utilisait un éclairage diffus à contre-jour. Les matières réagissaient différemment à la lumière, et Huene savait comment les faire apparaître sous leur meilleur jour, une fois transcrites sur la photo. De même pour les couleurs dont il devait rendre les teintes subtiles en monochromie, sur pellicule noir et blanc.

Dans un numéro de 1934, *Vogue* commentait ainsi cette étude de mode : « Une attention aiguë aux détails et un sens de l'anticipation »; par cette façon complexe de traiter la lumière et l'ombre, par la clarté de l'effet qu'elle produit et cette suggestion d'un mouvement imminent du mannequin, elle représente la quintessence des éléments essentiels du style de Huene.

Dans ses portraits et ses études de mode, nous décelons l'influence de la méthode préconisée par André Lhote : « Une alternance de lignes et de courbes. » Ainsi là où des éléments rectilignes forts caractérisent le sujet, Huene façonne les ombres en formes arrondies; là où les formes curvilignes sont dominantes, il structure les courbes comme des éléments rectilignes. Il utilise des ombres fortes pour encadrer des silhouettes vêtues de blanc sur fond noir, et pour modeler les traits dramatiques du visage et du corps. Parfois, il les laisse au contraire dans l'ombre pour donner une impression de mystère et d'ambiguïté, ou simplement pour minimiser ceux qui sont gênants. Il emploie constamment des éclats d'ombres pour en faire les accents verticaux et horizontaux d'une composition d'ensemble. Les ombres ne jouaient pas toujours un rôle auxiliaire; une ombre pouvait devenir le sujet lui-même, ou plutôt une extension du sujet. Par exemple, dans l'un des portraits que Huene fit de Stravinski (voir planche 96), l'ombre projetée sur le mur par la tête du compositeur vient se fondre insensiblement dans ses épaules; preuve que le photographe reconnaissait, dans la lumière, une substance concrète. Dans ce portrait, il a utilisé l'ombre pour créer un effet sculptural hardi qui donne au sujet des proportions surhumaines. Huene rendait ainsi hommage à l'art intransigeant de Stravinski.

Dans *Toto Koopman, robe du soir d'Augustabernard, 1934* (*cf.* planche 17), nous voyons un système d'ombres de ce type, soigneusement façonnées pour faire valoir la robe d'une manière aussi raffinée et sensuelle que possible. Un pinceau de lumière oblique, venant de la gauche du plateau, souligne les pommettes saillantes de miss Koopman et crée une ombre noire et longue, en forme de cimeterre qui part de sa main délicatement suspendue en l'air. L'ombre du corps souple est soulignée par le piédestal, elle s'apparente au torse nu qui est posé dessus, et titille l'imagination du spectateur en suggérant la nudité à peine voilée de miss Koopman. Un éclairage oblique modèle aussi d'épaisses ombres recourbées dans les plis ondoyants de la robe qui devient ainsi le centre de l'image. Des ombres noires et angulaires se forment sur les marches en arrière-plan pour créer un motif art déco. Une petite mare d'ombres coule gracieusement aux pieds cachés du mannequin, transformée en une créature éthérée. Rien n'est laissé au hasard dans cette remarquable image, l'une des plus brillantes de Huene par sa conception et sa réalisation.

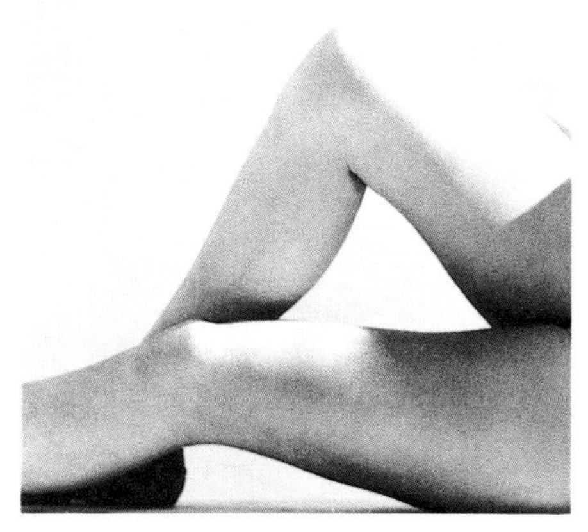

Traitement de l'ombre et de la lumière, par Huene. *Ci-dessus :* détails de la planche 54. *Ci-dessous :* détails de la planche 17.

Huene n'avait pas seulement appris à maîtriser l'éclairage. Ses études de dessin lui avaient enseigné l'importance du moindre détail d'une composition : les cils, un doigt, une bague – même un ongle – pouvaient faire toute la différence entre la perfection et la médiocrité. Ses photos semblaient exprimer la quintessence d'une élégance désinvolte et pourtant elles étaient laborieusement composées et mises en scène. De la composition, il dit : « Un facteur m'aida beaucoup. Je devais composer à l'envers dans le verre dépoli de l'appareil photo 18 × 24 cm. Ce qui m'obligeait à voir l'image comme une série d'éléments abstraits[2]. » Là, il touche à la perception même : nous croyons « voir » le monde réel objectivement, or les scientifiques nous disent qu'il ne s'agit pas d'un phénomène purement optique mais de processus mentaux complexes. Ainsi, nous avons tendance à ne pas reconnaître les choses familières lorsque nous les voyons à l'envers. Pour un photographe, cependant, toujours à la recherche d'une vision neuve des choses, une telle inversion lui permet de jeter un autre regard sur la réalité, de la considérer « comme une image abstraite », dit Huene.

Le dessin lui avait aussi enseigné l'importance des lignes. Il adopta les lignes droites et la géométrie de l'art déco qui était en vogue depuis la grande exposition de Paris, en 1925 , mais il avait su retenir les leçons du constructivisme. L'art déco privilégiait les motifs de la décoration, le constructivisme, l'ordre et la force. Huene trouva que ces idées-là l'aidaient à structurer des images dynamiques, d'autant que les lignes droites et les angles compensaient les contours flous et coulants des vêtements de la haute couture.

Avec les mannequins, Huene comptait sur ses talents de metteur en scène. Il voulait obtenir d'elles une élégance désinvolte et de l'affectation, ou plutôt ce qu'il appelait « la sérénité du contentement intérieur ». Il veillait donc à leur épargner la fatigue. Lisa Fonssagrives-Penn, l'un des mannequins favoris de sa période *Harper's Bazaar,* se souvient que Huene utilisait des doublures pour lui permettre de résoudre à son rythme les problèmes; puis invitait le mannequin à prendre la pose.

Il était calme et autoritaire, mais en même temps toujours poli et prévenant. Il savait exactement ce qu'il voulait, ou du moins il en donnait l'impression. J'attendais toujours avec impatience les séances avec lui. C'était un professionnel et il traitait les autres en professionnels.
En ce qui me concerne, il y avait quelque chose de plus important. Dès que l'on entrait dans le studio, on savait qu'il ne s'agissait pas d'une expérience ordinaire. Chaque fois que j'ai travaillé avec lui, j'ai eu l'impression que son studio était comme un temple et que notre tâche ressemblait à un rituel religieux. Les événements qui se passaient là semblaient intemporels. Peut-être cela tient-il à l'art. Non qu'il ait jamais présenté les choses ainsi. Ces séances de pose ont toujours été, pour moi, très importantes, et je ne me souviens pas avoir été jamais déçue[3].

Tout le monde n'était pas aussi enchanté. Un rédacteur se souvient d'avoir vu Huene « arriver en retard à une séance de pose, jeter un regard profondément méprisant sur les mannequins attendant inquiètes, dans leurs toilettes... se tourner vers le rédacteur responsable et dire : ''C'est ça que vous voulez que je photographie'', prendre plusieurs prises de vue et sortir. Tout le monde avait peur de lui[4] ».

Il est probable que Huene avait l'intention d'inculquer aux mannequins la discipline et non de les intimider. Voici ce qu'il dit lui-même des séances de pose :

J'ai toujours insisté pour obtenir un silence total, pas de bruit, pas de musique, pas de murmures derrière mon dos. Le mannequin devait être complètement sous mon contrôle. J'étais patient et je l'encourageais toujours; même si elle ne faisait pas tout de suite ce que je voulais, je faisais une prise de vue et je la félicitais, puis j'améliorais les choses jusqu'à ce que nous arrivions au point culminant désiré, et alors le mannequin était ravi, mais après la dernière prise de vue, elle se sentait déçue. C'était presque hypnotique. J'évitais volontairement toute conversation avec elle afin de maintenir la concentration. J'utilisais un expédient psychologique : la rendre consciente de sa féminité. Un jour quelqu'un m'a dit que, dans beaucoup de mes photos, les mannequins avaient l'air sur le point de recevoir un baiser[5].

Vogue demanda à un écrivain de révéler les secrets de leur photographe aux lectrices. Voici en quels termes il décrit une séance de pose :

Le photographe, le baron George Hoyningen-Huene, habillé légèrement d'un costume de lin blanc (lorsque les lampes chauffent, la chaleur devient intense), va de-ci de-là, changeant de place ceci ou cela, dirigeant d'un geste des hommes qui ressemblent à des robots, vêtus des pieds à la tête d'une combinaison noire, les mains protégées par d'épais gants de cuir, les yeux abrités derrière d'énormes lunettes de motocycliste, et qui surveillent, sans bruit, l'ensemble des lampes. Il dit un mot au mannequin qui se déplace dans le cercle de lumière, telle une étrange créature éthérée venue d'un autre monde. On met derrière elle une colonne argentée et brillante, elle prend une pose naturelle... Une silhouette féminine se glisse hors du cercle d'ombre et rajuste le pli d'une étoffe, une boucle de cheveux, une voix dit : « Gardez cette pose, je vous prie... encore, s'il vous plaît. » On remplace le fond argenté par un paravent de velours noir, on met sur le sol une grande coupe pleine de lis blanc. « Faites autre chose de vos mains... là, restez comme cela, ne bougez pas. » La silhouette se déplace dans le cercle de lumière, comme hypnotisée[6].

L'expérience enseigna rapidement à Huene la valeur que prend le dépouillement en studio :

Je prévoyais un décor et installais divers accessoires; puis au milieu de la séance, je découvrais qu'ils me gênaient et je les écartais sans hésitation, malgré l'effet d'ensemble que j'avais prévu; et une fois libéré de tout ce superflu, je revenais à la simplicité d'une scène non encombrée et me concentrais sur l'ambiance et l'attitude du mannequin[7].

Les photos de maillots de bain et de tenues de sport sont parmi les plus belles compositions de groupe qu'ait faites Huene au début des années 30. Elles étaient gorgées d'air et de lumière, leur traitement vif et audacieux était en accord parfait avec les modèles mêmes et le culte du bain de soleil en vogue à cette époque. Bien que chaque image semble uniquement composée de l'essentiel, le photographe a réussi, à maintes reprises, à les recombiner avec des effets d'éclairage faussement simples, de vigoureux éléments graphiques et des attitudes élégantes. Une étude des détails nous convainc que rien n'a été laissé au hasard.

Cette convergence sur l'essentiel est tout aussi apparente dans les nombreux portraits du photographe. Huene se contentait des toiles de fond les plus sim-

Huene au travail : une séance de pose dans les studios de *Vogue* en 1931. Le mannequin est Lee Miller.

ples, préférant se concentrer sur une physionomie, un profil, une expression, le geste le plus infime, et des détails de la toilette (une manchette qui dépasse, des bijoux, un mouchoir) lorsque cela pouvait enrichir la composition. Et comme dans ses photos de mode, il jouait des ombres et des lumières. Huene n'avait pas oublié l'efficacité de ce faisceau lumineux, semblable à une dague, dans le portrait fait par Streichen de J. Pierpont Morgan.

Sa maîtrise du portrait n'était pas uniquement due à sa virtuosité technique, elle n'aurait pas suffi. Un bon portrait exige deux conditions : une ressemblance

L'art du portrait de Huene atteint son apogée dans la simplicité et la sympathie exprimées pour le modèle dans cette étude de Lee Miller et de son frère Erik, photographiés à Paris en 1930.

avec le modèle et un effet pictural. Ne satisfaire que la première engendre des photos d'identité, ce qui n'intéresse personne sauf le modèle. Ne remplir que la seconde permet la création d'une *bonne* image mais pas d'un *bon* portrait. Un portrait est accompli lorsqu'il nous intéresse alors que nous ignorons tout du modèle. C'est le cas de nombreuses œuvres de Huene. Bien que la plupart d'entre nous n'aient jamais entendu parler de Ninet Eloui Bey, de Koval ou de Marie-Louise Bousquet, nous sommes charmés par ces tendres portraits qui illustrent cette remarque du Dr. Johnson, un portrait réussi, c'est « une conséquence naturelle et raisonnable de l'affection ».

Cela vient peut-être de l'attitude de Huene vis-à-vis de ses modèles : on devine qu'ils étaient détendus en sa compagnie, et sentaient qu'il avait confiance dans son entreprise. Les portraits ressemblent alors à des collaborations. Huene admirait Nadar qui déjà avait su décrire cet instant de profonde compréhension nécessaire au photographe pour saisir la personnalité, les habitudes et les idées de son modèle; alors seulement était possible la réalisation d'un portrait vivant et parfaitement ressemblant, non une quelconque photo due au hasard ou à l'habitude.

Par définition, les portraits représentent des sujets statiques. La photo de mode, elle, exige l'illusion du mouvement. Même dans une pose statique, il faut que le vêtement ait l'air de s'être mis en place naturellement. A la fin des années 20 et au début des années 30, la pellicule employée en studio n'était pas assez sensible pour saisir le mouvement sans qu'il y ait un flou. Donc, dès le départ, le rendu du mouvement plongea Huene dans la perplexité.

A l'extérieur, on pouvait faire des instantanés depuis le milieu du XIXe siècle. Mais les photographes s'étaient toujours heurtés à ce paradoxe : ils pouvaient arrêter l'action, saisir une fraction de seconde d'un mouvement, l'image captée ne présentait que cela : un moment figé dans le temps. Sujet de plaisanterie (un ballon de plage apparemment bloqué en l'air provoquait des éclats de rire) ou d'analyses scientifiques, la photographie se montrait impuissante à suggérer un objet en mouvement. Les photographes sérieux devaient inventer des procédés picturaux pour *exprimer* le mouvement.

Les célèbres études de Eadweard Muybridge, de la fin du XIXe siècle, sur la locomotion animale et humaine, en sont un bon exemple. On fit mauvais accueil à ces photos prises en une fraction de seconde, on s'en moqua même. L'image fractionnée ne semblait pas correspondre à la perception humaine, ni même à une « vérité » optique. La planche 419 de Muybridge, *Toilette, elle se penche et jette un châle sur ses épaules,* a peut-être été un enregistrement objectif d'une activité mondaine, mais cette version de la vérité, rendue par l'appareil photo, bouleverse l'esthétique conventionnelle. L'information avait une valeur, mais seulement en tant que matière qui devait être interprétée par l'artiste. La préoccupation de Huene ne tenait pas seulement aux limitations propres au studio. Son interrogation touchait à l'essence même de la photographie.

Huene se tourna vers la connaissance du corps humain qu'il avait acquise durant ses études académiques et l'utilisa en illustrateur. S'il se souvint de ses leçons d'art classique, d'une certaine manière, sa passion enfantine pour l'acrobatie, muée en un goût prononcé pour les exercices violents, joue aussi un rôle, ainsi que sa vision critique de la danse. Prêtant un intérêt particulier aux gestes, il chercha « le point où une image se traduit en une autre[8] ». Par exemple, un coup d'œil, si léger soit-il, jeté par-dessus l'épaule peut évoquer un mouvement en avant. Des cheveux photographiés légèrement flous peuvent suggérer une tête qui vient de se retourner. Des châles ondoyant, au point de dépasser le cadre de l'image, sont comme soulevés par un vent brusque.

Pour répondre à son attente, Huene préférait des mises en scène pleines d'imagination aux truquages en chambre noire recommandés avec tant d'enthousiasme par les auteurs d'ouvrages de vulgarisation sur la photographie. Ses solutions étaient conceptuelles et prouvaient qu'il avait élaboré mentalement l'effet désiré, « pré-

Le mouvement en photographie. *Ci-dessus :* le réalisme – *Toilette. Penchée elle jette un châle sur ses épaules,* planche 419 d'Edward Muybridge, tirée de son ouvrage *Human and Animal Locomotion* (1887). *Ci-dessus :* l'illusion – Agneta Fischer, robe du soir de Augustabernard, 1932, photo de Huene sur laquelle le modèle ne bouge pas du tout mais est photographié étendu sur le sol du studio.

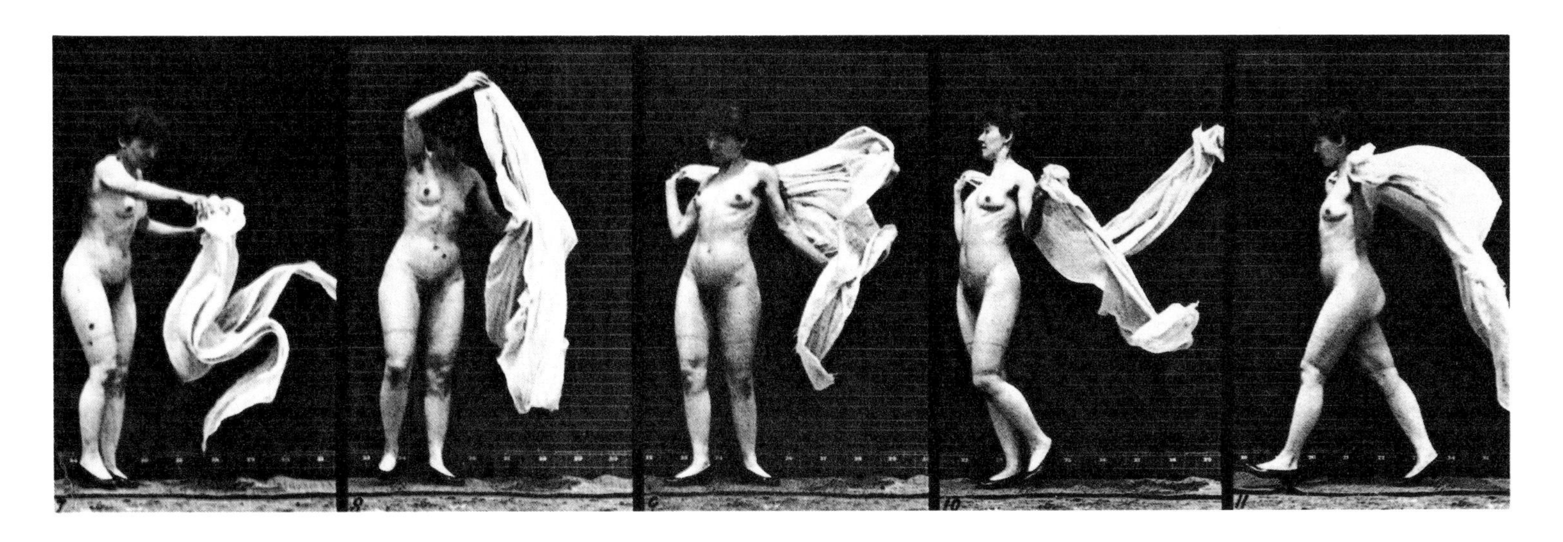

Baigneuse assise, Pablo Picasso (début 1930), l'une de ses nombreuses peintures de bord de mer de l'époque, qui présente la même atmosphère que les études de costumes de bain de Huene, en particulier *Maillots de bain d'Yzod,* 1930 (planche 66).

Page opposée : Huene par Cecil Beaton, 1933.

visualisé » – dans le jargon actuel de la photographie – l'image définitive. Lorsque ses mannequins ont l'air de danseuses qui marchent légèrement en l'air (voir planche 18), leurs robes tournoyant autour d'elles, elles sont en réalité couchées, immobiles, sur le sol, leurs vêtements soigneusement disposés pour donner une impression de mouvement gracieux. Une illusion fabriquée de toutes pièces et pourtant combien plus satisfaisante que la vérité littérale de Muybridge!

Et il n'était pas à court d'ingéniosité. Prenons, par exemple, *Maillots de bain d'Izod* (voir planche 66). Voici, apparemment, un couple perché à l'extrémité d'un plongeoir et regardant une mer calme. Nous croyons qu'il s'agit d'une prise de vue en extérieur; sinon, ce que nous voyons est un artifice fabriqué en studio. Mais la vérité est entre les deux : les mannequins ont simplement été photographiés sur le toit du studio de *Vogue,* sur les Champs-Élysées, où ils posaient sur des caisses. Le haut du garde-fou, légèrement flou, fait office d'horizon; et le garde-fou lui-même évoque la mer. Voilà une solution plus élégante et plus économique qu'un truquage technique compliqué. (Huene fut aussi le premier à utiliser les agrandissements de ses propres photos comme arrière-plans.)

Cette photo nous montre aussi ce que ce thème doit à la peinture, en particulier à la peinture métaphysique et à l'art grec classique. Les deux personnages se fondent en une unique forme. Les détails sont occultés, dépersonnalisant ainsi l'image; les visages, les doigts, les mains, sont cachés. Image de stabilité et d'harmonie – avec les lignes de force verticale et horizontale, et en particulier les jambes parallèles de la femme – qui ne manque pas d'ambiguïté sous-jacente évoquant le « réalisme magique » de De Chirico. On peut aussi remarquer une relation frappante avec les peintures de baigneuses de Picasso – telle cette toile de 1930, reproduite *à gauche* –, ou *Les Flûtes de Pan,* du même peintre (1927), par sa précision éclatante, ses formes humaines monumentales et son intemporalité, que nous associons à la peinture métaphysique. Avec ses mannequins inanimés, qui le captivaient autant que les femmes réelles (voir les planches 68-70, dans lesquelles les mannequins semblent vivants et les femmes ressemblent à des mannequins), le photographe est proche de De Chirico dont il goûtait la fascination pour la perspective, les raccourcis et les gros plans dramatiques, ainsi que le sens de l'espace : cette « conscience de l'espace qu'un objet doit occuper dans une peinture, et de l'espace qui sépare chaque objet des autres[9] », comme dit le peintre lui-même.

Par-dessus tout, ce sont les composantes classiques de l'image qui éclairent le mieux à la fois la structure et la substance de l'art de Huene. L'attitude des deux personnages de *Maillots de bain d'Izod* a été qualifiée par J.J. Winckelmann d'idéal néo-classique « d'une noble simplicité et d'une grandeur paisible ». Comme nous l'avons vu, Huene fut, dès l'enfance, initié à l'Antiquité et il a particulièrement apprécié les chefs-d'œuvre de la sculpture grecque du Vᵉ siècle av. J.-C. Ses caractéristiques comptent tellement dans l'art de Huene qu'il faut les résumer brièvement[10] :

Un style naturaliste et figuratif, sans distorsion du corps humain ni le moindre signe d'abstraction (sauf que toute idéalisation est, en soi, une abstraction). L'accent est mis sur l'anatomie au point d'aboutir à une exagération de la musculature. Pour les Grecs, la sculpture est une expérience visuelle directe, libre de toute action symbolique.

Le corps humain idéalisé, en parfaite santé physique et harmonieusement proportionné. La force est commune aux deux sexes; les têtes sont larges et puissantes. Cependant les expressions demeurent neutres, dénuées d'émotion, et l'ambiance est donnée par l'attitude.

Les éléments naturels présentés sous une forme humaine : l'eau, le vent et la lumière, incarnés par le corps humain, conservent une signification mystique primordiale.

L'harmonie, expression d'un équilibre statique, opposé au mouvement figé.

Les draperies qui expriment le mouvement ou sculptent la forme humaine. Et, avec elles, l'attention prêtée au moindre détail.

Il est évident, même au premier coup d'œil, que cet idéal classique était essentiel aux yeux de Huene. « Il y avait une relation, note son ami Oreste Pucciani, entre le monde de ces photographes et les grands vestiges en pierre de la civilisation occidentale, un lien de grandeur... Huene était fasciné par la dimension héroïque qui changeait de simples humains en créatures mythiques douées d'un pouvoir écrasant[11]. » Comme dans le modèle grec, les portraits et les études de mode de Huene sont libres de toute intention symbolique (sauf, bien entendu, que ses mises en scène voulaient faire allusion à la culture grecque). Les attitudes sont héroïques, les expressions sereines, les visages calmes, les corps vigoureux et bien faits, et la musculature clairement dessinée. Parfois, les poses, les expressions et les gestes étaient des citations directement tirées de sources grecques. Et, comme les sculpteurs grecs, Huene préférait ses sujets au repos. Certaines touches montrent combien il était versé dans les subtilités de cet art; et nous pouvons – exemple parmi tant d'autres – prendre le pied du mannequin en pyjama de Vionnet (voir planche 18) et le comparer aux pieds nus de la Victoire chryséléphantine de Phidias et de Panainos, au musée d'Olympie. L'idée de ce pied nu exprime celle d'un contact direct avec les pouvoirs de la terre.

Des motifs classiques apparaissent constamment sous forme de décors. Surtout des colonnes qui, aux yeux de Huene, représentent le plus grand de tous les problèmes jamais posés à l'homme dans l'univers des formes. Il employait aussi d'autres éléments architecturaux, comme des marches harmonieusement proportionnées, des balustrades, des urnes, des piédestaux et des cariatides. Il faisait des maquettes d'arrière-plans avec des photos de ruines, de temples et de sites anciens. Ses illusions préférées évoquent la mer, le plein air, une lumière solaire intense et des vues de temples. Il se servait fréquemment de bustes et de moulages de la statuaire grecque. Pour les draperies, il puisait dans le stock des prototypes grecs. De nombreux exemples prouvent que Huene avait compris le modelé et les lignes du mouvement (dans l'art classique, le premier révèle la structure du corps et les secondes donnent une impression de mouvement). On déchiffre aussi, facilement, ses références à la maîtrise des plis compliqués possédée par le sculpteur antique. Parmi ses sources, on peut noter la Victoire de Samothrace, celle de Panainos, et la Victoire dénouant sa sandale, du parapet du temple d'Athéna Nikê, à Athènes.

En 1933, le photographe fit faire son portrait par son rival et ami, Cecil Beaton. Dans cette étude soigneusement travaillée, Huene est le modèle de l'élégance désinvolte. Il joue au « baron », au grand prêtre du chic. Il est à l'apogée de sa carrière, connaît beaucoup de gens célèbres et est très admiré, non seulement à Paris, mais à Berlin et à Londres. Par deux fois, on lui a confié des reportages prestigieux à New York et à Hollywood. Un album de ses meilleurs portraits vient de paraître en Allemagne dont le titre même le qualifie de maître (*Hoyningen-Huene : Meisterbildnisse* de H.K. Frenzel). Dans ce portrait de Beaton, nous voyons que Huene contrôle la situation, conscient de l'image qu'il doit présenter. Il a participé à l'élaboration d'un monde; maintenant, il s'insère lui-même dans sa représentation picturale. D'une certaine façon, il a sauvé et reconstitué la vie élégante qui s'était effondrée lors de son départ de Russie.

LUMIÈRE DU SOLEIL
ET
TENUES DE SPORT

48 Jean Barry, 1931

49 Mlle Alicia, maillot de bain de Patou, 1928

50 Mlle Katkoff, maillot de bain de Lanvin, 1928

51 Maillots de bain de Patou, Molyneux et Yrande, 1930

52 Simone Demaria, tenue de plage de Schiaparelli, 1930

53 Helen Wedderburn et Agneta Fischer, maillots de bain de Spalding, vers 1930

54 Agneta Fischer, maillot de bain de Schiaparelli, 1931

55 Tenue de plage de Chanel, 1933

56 Mode de bains de mer, vers 1930

57 Lee Miller, 1932

58 Horst, 1931

59 Mode de bains de mer, vers 1930

60 Georgia Graves, maillot de bain de Lelong, 1929

61 La princesse Belosselsky, tenue de plage de Chantal, 1928

62 Bettina Jones, tenue de plage de Schiaparelli, 1928

63 Tenue de sport de Rouff, 1934

64 Miriam Hopkins, ensemble de Travis Banton, 1934

65 Mme George Auric, deux pièces de Tao-Tai, 1932

66 Maillots de bain d'Izod, 1930

67 Robes du soir de Carnegie, 1935

DE NOUVEAUX HORIZONS

Tandis qu'il travaillait pour Condé Nast, à Paris, Huene fut envoyé deux fois en reportage aux États-Unis[1]. Ses voyages le conduisirent à New York où il retrouva des amis transplantés là et fit rapidement de nouvelles connaissances. La ville lui plut énormément – étant à moitié américain, il se sentait chez lui. La chance lui faisait signe et il était las de la routine qu'était devenu son travail.

De leur côté, ses employeurs étaient en train de perdre patience. Le rédacteur en chef de *Vanity Fair,* Frank Crowninshield, avait eu l'occasion de critiquer les photos de Huene faites pour le magazine, à Hollywood (il était revenu sans gros plans de face); lorsqu'il lui en avait parlé, il n'avait obtenu qu'une réplique acerbe. Le rédacteur français de *Vogue,* Michel de Brunhoff, en avait assez des congés que Huene prenait sans prévenir. Selon Horst, ils « auraient accueilli avec plaisir l'occasion de montrer à Huene que le magazine pouvait très bien se passer de lui[2] ». En tout cas, Huene avait décidé de s'en aller. La rupture se produisit lors d'un déjeuner où ils devaient discuter du renouvellement de son contrat. Le Dr. Agha ayant dit qu'ils aimeraient bien « qu'il se tienne mieux », il quitta brusquement la table, outragé qu'un homme de sa classe soit réprimandé comme un écolier, surtout par un « Turc ukrainien[3] »! Dès qu'il fut sorti du restaurant, il appela Carmel Snow, la nouvelle et audacieuse rédactrice en chef de *Harper's Bazaar,* et lui annonça : « Je suis à la rue et vous pouvez m'avoir[4]! » Bien que prise de court, elle eut la présence d'esprit de lui offrir un contrat, s'emparant ainsi de l'un des collaborateurs les plus doués et les plus respectés de ses concurrents.

Mrs. Snow avait été, jusqu'en 1932, la rédactrice très appréciée de *Vogue.* A en juger par ce qu'elle avait fait de *Harper's Bazaar,* elle avait dû piaffer à *Vogue.* Ce n'était pas une question de succès, mais de formule. La routine avait dû paraître mortelle à cette innovatrice-née. Elle reconnut probablement, chez Huene, une impatience similaire; elle connaissait son caractère difficile, mais comprit qu'il apporterait une vigueur nouvelle à sa revue.

Huene de son côté s'intéressait au magazine qui, sous la direction de Mrs. Snow, avait acquis une grande réputation grâce à d'excellents éditoriaux, un haut niveau d'écriture, des illustrations et des photos d'une qualité exceptionnelle. Mais surtout, cette rédactrice en chef pensait que la mode constituait un élément incontestable d'une culture très développée et qu'elle ne devait pas être isolée du reste. Chez Condé Nast, elle avait eu le temps de réfléchir aux qualités et aux faiblesses de *Vogue* et de *Vanity Fair. Harper's Bazaar* devait être la synthèse de ce qu'il y avait de mieux dans les deux.

Carmel Snow par Huene, 1939.

Rétrospectivement, les années que Huene passa à *Harper's Bazaar* ont coïncidé avec l'apogée de cette publication. Des illustrations de Raoul Dufy, Cassandre et même Chagall, des textes de Colette, Evelyn Waugh, W.H. Auden, Christopher Isherwood, Truman Capote, et des photos de Louise Dahl-Wolfe, Martin Munkacsi, Man Ray, George Platt Lynes et du baron de Meyer, pourtant maintenant sur son déclin, contribuaient au dynamisme de la revue. Tout cela était brillamment orchestré par un autre des protégés de Mrs. Snow, le directeur artistique russe, Alexey Brodovitch.

Sous sa direction, le travail de Huene devint plus relâché, plus réaliste et moins compassé, d'une certaine manière, plus inventif. On lui commanda des photos en couleurs et il dut donc surmonter de nouveaux obstacles techniques. Il était libre, aussi, de travailler hors du studio, avec les appareils de son choix, mais le format du magazine et le goût de Brodovitch pour les éléments graphiques superposés aux photos, les marges trop larges et son habitude d'« effilocher » les bords des clichés, ne se prêtaient guère au style très rigide et réservé de Huene. Dans la mode elle-même, le ton avait glissé des lignes très nettes et géométriques inspirées par l'art déco à un style plus doux, plus fluide, plus délicat, auquel son propre style convenait moins. Huene produisit certes de belles images dans les années qui suivirent, mais des comparaisons montrent qu'il retravailla d'anciennes photos, non point tant, hélas, pour tirer des leçons du passé que pour y puiser l'inspiration. Il sentait aussi que le niveau de la mode déclinait, mais il rationalisa peut-être ainsi son indifférence croissante. En changeant de magazine, il avait espéré retrouver un regain de créativité et il prenait plaisir aux trajets réguliers entre New York et Paris; pourtant l'enthousiasme des années de *Vogue* s'était évanoui. Son travail était moins bon et il se mit à douter de l'entreprise en soi.

En 1936, la rupture brutale d'une brève liaison qu'il avait eue avec un jeune homme fournit l'impulsion dont il avait besoin. Foudroyé, Huene fit voile vers la Tunisie où son ami Horst et lui avaient fait construire une maison quelques années auparavant. Située à proximité d'Hammamet, un ancien village fortifié au bord de la mer, la maison était en forme d'U tourné vers le rivage et d'un style dépouillé, « presque une version Bauhaus de l'art décoratif nord-africain[5] ».

Huene avait toujours saisi toutes les occasions d'aller à Hammamet, au grand mécontentement de *Vogue:* mais cette fois le refuge ne put dissiper la grave dépression dont il souffrait. Il vécut en ermite; au lit la plupart du temps. Il n'avait pas prévenu Mrs. Snow et croyait son travail – sa carrière – en péril. Il resta ainsi plusieurs semaines, fuyant les amis qui avaient pris l'habitude de considérer cette maison comme une halte accueillante.

Un événement inexpliqué finit par le sortir de cet état. On vint le tirer du lit parce que la femme d'un domestique était très gravement malade. Le maître pouvait-il lui venir en aide? Ne sachant que faire, il accepta de la voir immédiatement. Arrivé à son chevet, il mit la main sur son front pour juger de sa fièvre et, alors, une chose extraordinaire se produisit : il sentit comme un courant passer de son corps à celui de la femme. Il dit de la laisser dormir et revint chez lui. Mais lorsqu'il s'éveilla le lendemain et ouvrit ses volets, la mourante de la nuit dernière travaillait aux champs. Il n'était pas particulièrement superstitieux, mais cet événement lui redonna goût à la vie. Le pire était passé, et il reprit une existence normale.

Par chance, il fit peu après connaissance avec des explorateurs amateurs sur le point de s'embarquer pour un voyage au cœur de l'Afrique. Huene accepta de se joindre à eux, heureux de cette occasion de distraction. Il écrivit et photographia durant le voyage qui devait les conduire à longer le Nil, traverser l'Égypte, le Tanganyika, l'Afrique-Équatoriale française, le Nigeria britannique, avant de revenir en Afrique du Nord par le Sahara. Son style rappelle moins les grands explorateurs du XIXe siècle que des observateurs plus contemporains – les écrivains comme Winston Churchill (*My African Journey,* 1908), Martin Johnson (*Over African Jungles,* 1935) ou André Gide (*Voyage au Congo,* 1927). Dans la préface

Page opposée : Rita Hayworth, Carmel Snow, Huene et un assistant, dans le studio de *Harper's Bazaar,* New York. Photographiés par Philippe Halsman, 1943.

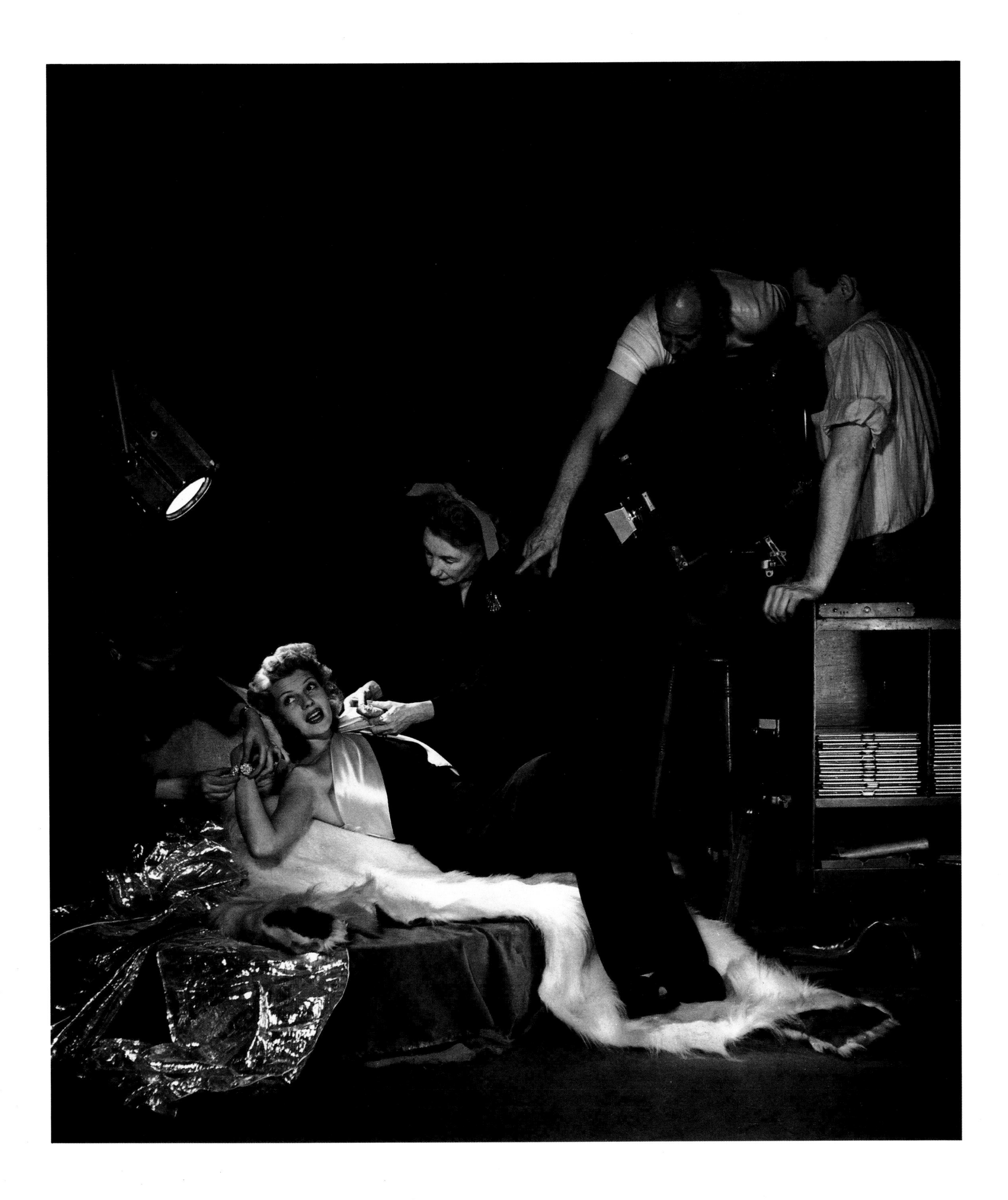

Page opposée : une photo sans titre prise lors de l'expédition de Huene en Afrique, en 1936, mais qui n'a pas été publiée dans *African Mirage.*

d'*African Mirage : The Record of a Journey* (Mirage africain : notes de voyage) publié en 1938, il affichait de modestes ambitions, en tant qu'écrivain et en tant que photographe : « Ces extraits de mon journal sont dénués d'intérêt scientifique. J'ai simplement voulu préserver certaines impressions visuelles... Ceux qui souhaitent entreprendre un voyage semblable avant qu'il ne soit trop tard, verront par eux-mêmes ce que ma plume incompétente et ma photographie impromptue ont tenté de transmettre[6]. »

Il ne faut pas tenir compte de cet aveu d'incompétence. *African Mirage* est fort bien écrit et démontre sa maîtrise de la métaphore visuelle. Il fait des photos avec ses mots : une frise représentant Ramsès écrasant ses ennemis, c'est « une symphonie qui envahit et submerge les immenses surfaces de pierre, inclinées[7] ». Le corps d'un jeune homme « ressemble à un roseau, simplement accroché à ses larges épaules, tandis qu'il se tient sur une jambe, légèrement, comme une grue[8] ». Et le chant des indigènes est « un son riche, aussi riche que les sombres couleurs de leurs membres fluides[9] ».

A chaque photo de l'*African Mirage,* on attribua respectueusement une demi ou une pleine page. Comme le dit Huene, toutes ne sont pas remarquables, mais étant donné le genre, le niveau est tout de même bon. Jusqu'à ce moment, il avait rencontré peu d'occasions de photographier en extérieur (Condé Nast se montrait inflexible là-dessus) et il éprouva quelques difficultés à maîtriser les éléments fortuits et disparates de l'environnement. De plus, l'Afrique exotique et exubérante, pleine de détails passionnants, l'empêchait de se concentrer. Comme il le reconnaît, « nous ressemblons à une bande de gosses jouant à un jeu secret et interdit[10] ».

Pourtant, bon nombre des photos présentent les qualités de son travail en studio. Dans plusieurs études de têtes de femmes, par exemple, sa passion pour les valeurs formelles et l'économie d'expression fait merveille. Lorsqu'il s'évertue à trouver le bon angle de prise de vue, cela l'aide à éliminer les détails superflus. Certains de ses sujets sont photographiés en contre-plongée, d'autres devant un arrière-plan volontairement flou. *Femme de Fort-Lamy* (voir planche 80) montre que Huene n'avait pas l'intention de se contenter d'un instantané; ce contrôle de la mise en scène rappelle sa première étude de Dolores Wilkinson (voir planche 79). En orchestrant aussi bien ses images, il espérait en secret qu'elles égaleraient ses études de mode.

En résumant ses expériences en Afrique, Huene avoue un but plus sérieux : « Un jour, lorsque tout le continent noir sera habillé et réduit à une banalité relative, ces documents trouveront leur importance en révélant une simplicité de forme

Saison sèche sur les bords du Nil, 1936. Publiée dans *African Mirage* (1938).

et de mouvement inconnue dans un monde artificiellement organisé[11]. » L'aventure africaine se révéla pour Huene une escapade nécessaire hors du monde de la mode, prétentieux et frivole. Dans les étendues les plus reculées de ce vaste continent, il trouva l'élégance suprême – la nature réduite à ses formes essentielles. Et il découvrit une partie de lui-même, « la solitude et la paix sans la présence nostalgique du sentiment de l'isolement[12] ».

C'était une expérience d'une nature profondément romantique. Il décrit son amour de la vie ainsi ranimé et fait allusion, pudiquement, à son chagrin en train de s'évanouir en ces termes :

Les souvenirs apparaissent et s'évanouissent, faisant place à d'autres. Les souvenirs les plus insignifiants, ceux dont vous vous demandez pourquoi vous vous en rappelez, et les autres, ceux qui insistent, auxquels vous ne pouvez échapper. Mais vous êtes aussi loin qu'il est possible de l'être. Et lorsque votre esprit est lavé et rafraîchi, à demi en sommeil, vous remarquez une plante nouvelle que vous n'aviez jamais vue, ou bien au tournant de la route, un bel oiseau, et vous vous retrouvez éveillé, de retour au monde, et vous êtes devenu un élément de la structure que, si souvent, vous avez omis de percevoir... la structure de votre vie[13].

Derrière les observations de Huene perce le sentiment de sa propre mortalité. Il accepte l'idée de la mort, bien qu'il ne fasse que la suggérer, tout comme dans ses Mémoires au sujet de son homosexualité. Quelque chose, dans l'Afrique, répondait à ses besoins émotionnels profonds, comme la Grèce avait séduit son intellect. L'Afrique était un leurre qui « détache et immatérialise le moi dans un monde de forme, de couleur et de lumière transparentes. Un monde de luminosité sans ombre[14] ». Mais le sortilège hypnotique est brisé par l'auteur lorsqu'il ramène le lecteur à la civilisation moderne : « L'Europe. Le mirage africain disparaît, s'évanouit, se dissout en une masse banale de vulgarité, d'excitation, de bruit et de futilités concentrés... Alors vous vous soumettez, vous acceptez, et reste le souvenir[15]. »

Les « souvenirs » sont introuvables en librairie depuis longtemps, oubliés même, mais ils méritaient un meilleur sort. On peut comparer ce livre aux journaux d'André Gide (*Voyage au Congo* et *Le Retour du Tchad,* 1927). Il y a des parallélismes saisissants. Gide aussi manifeste un enthousiasme juvénile. « Mon cœur ne bat pas moins fort qu'à vingt ans » – lui aussi jette un regard pénétrant sur la nature, éprouve un profond respect pour la culture indigène et abhorre les forces « civilisatrices », en particulier le colonialisme. « Moins le Blanc est intelligent, observe-t-il, plus le Noir lui paraît bête. » Les deux auteurs ont suivi le même itinéraire et souvent commenté longuement les mêmes endroits, comme Fort-Lamy. Tous deux accordent autant d'importance aux sentiments personnels qu'aux observations extérieures. Gide aussi se réfère également aux arts lorsqu'il évoque les peintures italiennes de Corot pour rendre compte de la sensibilité des couleurs et de la solennité des formes. Enfin Gide aussi s'intéresse à la photographie bien qu'il ne la pratique pas lui-même. Des clichés pris par son compagnon de voyage, il estime que les meilleurs sont ceux qui ont saisi une attitude ou un geste inattendus.

On peut même présumer que les journaux de Gide ont servi de modèle à Huene, ou au moins lui ont donné l'idée de raconter ses aventures. Hypothèse fondée puisque Huene rencontra Gide plusieurs fois lors de ses voyages en Afrique du Nord. Huene évoquera le souvenir qu'il conservait de ce dernier, à la suite d'un dîner où ils avaient parlé ensemble : « C'était un homme plutôt dur. Austère, peu communicatif. Mais lorsqu'il parlait, il était brillant, intelligent, et son français était beau. Je n'ai jamais entendu parler un français aussi beau, sauf sur scène[17]. » Huene a pu connaître aussi *Africa Dances* de Geoffrey Gorer, qui avait été inspiré par Tchelitchev, ou *Black Mischief* d'Evelyn Waugh, tous deux publiés

Le porche sud de l'Érechthéion, Athènes, vers 1937. Huene a fait plusieurs études de l'Érechthéion (voir aussi la planche 5) ; celle-ci n'a pas été publiée dans *Hellas* (1943).

dans les années 30. Gide, Gorer, Waugh, Huene : une bande de métropolitains romantiques (Gide dédia son livre à Joseph Conrad) qui rêvaient de l'exotisme comme d'une libération des contraintes de la civilisation, et trouvaient, dans les danses indigènes, une musique, une transe et des extases interdites aux peuples civilisés.

De retour à Hammamet, Huene n'eut plus le temps de méditer sur la vie, ni besoin de se tracasser au sujet de sa carrière. Il fut accueilli par un télégramme de Carmel Snow lui demandant instamment de faire les portraits du duc et de la duchesse de Windsor. Apparemment, elle était prête à fermer les yeux sur les excès de son protégé, à cause de son talent. Huene partit aussitôt pour l'Europe et reprit sa carrière où il l'avait laissée. Mais plus tard, il connut d'autres aventures africaines, avec Roland Penrose et Lee Miller, puis avec Cecil Beaton, et enfin avec Horst.

Cette expédition et le livre qui en résulta furent, pour Huene, une expérience très satisfaisante et, dans les années qui suivirent, il entreprit d'autres publications, mais en choisissant des textes plus érudits. Il publia quatre albums de voyage : un sur la Grèce, un sur Baalbek et Palmyre, un sur l'Égypte et un sur le Mexique. Le plus intéressant, du point de vue de la photo, c'est *Hellas : A Tribute to Classical Greece* (1943) (L'Hellade : en hommage à la Grèce classique)[18]. Il avait vu le Parthénon pour la première fois en 1931, mais, écrasé par sa majesté, il n'avait pas pu prendre une seule photo. Il s'était souvenu que Steichen et Isadora Duncan s'étaient trouvés, quelques années avant, dans la même fâcheuse impuissance. Mais l'année suivante, après avoir mûrement réfléchi, Huene put passer à l'acte.

Une froideur hardie, une grande attention à la lumière et aux détails, un respect des intentions des bâtisseurs, caractérisent ces photos. « Cela n'aurait pas plu aux architectes, qui veulent des plans, dit-il, mais je désirais interpréter les monuments antiques et les anciens sites comme s'ils avaient été des jolies femmes, et les rendre aussi séduisants[19]. »

L'*Hellas* n'est pas seulement un album de photos, ou une anthologie d'extraits somptueusement illustrée mais un tout incontestablement plus grand que la somme des parties; en réalité, une union habile de textes et de photos. Des citations d'Eschyle, d'Aristophane, de Sophocle, de Byron, d'Emerson, de Milton..., et d'écrivains modernes, sont accouplées à des photos de l'Acropole (surtout du Parthénon et de l'Érechthéion), de théâtres et de temples de l'Argolide et de l'Attique, de sculptures de différents musées, et de paysages aux grands ciels nuageux, aux montagnes tournant au noir et aux rochers arides.

Le rythme du livre est merveilleux : un grand format spectaculaire avec beaucoup de marges autour des textes, voilà la scène! des photos jamais à fond perdu mais remplissant presque toujours les pages, la plupart présentées en double page, avec parfois deux images fortes s'opposant face à face, juxtapositions peu orthodoxes mais lumineuses. On peut se demander si Brodovitch, qui a fait la jaquette, n'y a pas mis la main. En tout cas, le format est imposant et la mise en page dynamique, quoique sobre.

L'*Hellas* commence par une étude de rochers arides, avec une citation du *Prométhée enchaîné* d'Eschyle : « Plutôt, écoute la triste histoire de l'humanité... » Suit un paysage, avec, de Sophocle, « arbre dans le sol innomé d'Asie ». Bientôt, nous arrivons aux œuvres des hommes et le texte nous conseille de « respecter les ruines, de ne pas les reconstruire[20] ». L'histoire continue avec des paroles de Pausanias : « A Delphes sont écrites des maximes utiles à la vie des hommes, inscrites par ceux que les Grecs disaient sages... Alors, les sages vinrent à Delphes

Only to gods in heaven
Comes no old age, nor death of anything;
All else is turmoiled by our master Time.
The earth's strength fades, and manhood's glory fades,
Faith fades, and unfaith blossoms like a flower.
And who shall find in the open streets of men,
Or secret places of his own heart's love,
One wind blow true forever?

Sophocles

48

Une double page tirée de *Hellas, a Tribute to Classical Greece (L'Hellade, en hommage à la Grèce classique)* (1943).

Huene par Herbert List, Glifadha, Grèce, 1937.

et dédièrent à Apollon les maximes célèbres, ''Connais-toi toi-même'' et ''Rien plus que de raison[21]''. » Enfin le livre se termine par une photo d'une colonne en ruine, sur l'Acropole, avec un éclairage latéral spectaculaire qui en souligne chaque fissure, mais dont les ravages du temps ne peuvent obscurcir la noblesse. De chaque côté, nous apercevons la cité moderne d'Athènes, tout en bas, qui ne peut être comparée à ce chef-d'œuvre antique.

Huene travailla aussi en Égypte où il découvrit que la qualité de la lumière naturelle exigeait une nouvelle approche. Si la lumière grecque se fait caresse, le soleil d'Égypte inonde les ruines d'un éclat brillant qui jette des ombres dures et profondes. Puisque l'architecture égyptienne se caractérise entre autres par l'élimination des détails superflus, Huene se dit qu'il atteindrait mieux son but en supprimant les demi-tons par l'augmentation des contrastes. Comme l'*Hellas,* l'*Egypt* (1943) fait preuve d'une utilisation judicieuse de la technique afin de rendre

NEW KINGDOM

man of thirty, became sole ruler of the state. The full weight of his pent-up hatred fell upon the woman who had done all she could to eliminate him and to make his life miserable. He gave orders to wipe out all memories of her, to destroy her images and erase her name wherever found so that, according to Egyptian belief, her existence in the hereafter would be annihilated. His vengeance was wreaked of course upon the temple of Deir el Bahri as well. If the sanctuary had not been formally dedicated to the cult of Amūn, he would probably have demolished it completely. As it was, only the sphinxes and statues of the queen were smashed to pieces and thrown into a deserted quarry—where they remained until Herbert Winlock discovered them. He succeeded in piecing together the many fragments of her portraits which are now in the Metropolitan Museum of New York. Thus the memories of the persecuted queen have been restored, and her "happy existence" in the hereafter may have been given renewed life.

Thut-mose III ranks as the great warrior among the pharaohs. Upon the foundations laid down by Thut-mose I, he was able to build the empire and secure Egypt's position as the dominating power in the Near East. But he accomplished his task not without bitter contest. The hardest battle he had to win occurred soon after he took over the government. The prince of Kadesh on the Orontes river had formed an alliance with Syrian princes "to the ends of the earth," dedicated to armed resistance against any attempt of the pharaoh to bring their lands under Egyptian sovereignty. However, Thut-mose's art of war broke the combined opposition in a great battle before the walls of Megiddo. Soon after, the city itself, the main enemy-stronghold, had to surrender; the defeat of the enemy became an acknowledged fact.

In ensuing campaigns Thut-mose conquered the countries of Syria and forced their princes to accept Egyptian sovereignty. Major coastal trading cities were

New York. *Limestone statuette of Amen-hotpe II.* XVIII Dyn., about 1440 B.C.

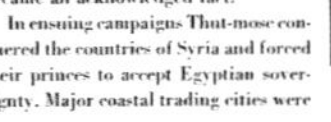

99

Thebes, East Bank, Karnak, Great Temple of Amūn. Hall of Records of Thut-mose III. *Two granite pillars bearing heraldic symbols (papyrus and lily) of Upper and Lower Egypt.* XVIII Dyn., about 1470 B.C.

Une double page tirée de *Egypt,* 1943.

l'ambiance désirée. La taille de l'ouvrage, sa conception générale, s'apparentent à celles de l'*Hellas* (ainsi qu'à celles des livres suivants). Cependant, les photos sont présentées de façon différente. Elles ne sont pas exposées deux à deux et accompagnées de textes d'égale longueur, mais fonctionnent plutôt comme des illustrations (bien que certaines images exceptionnelles soient reproduites pleine page). Le texte aussi est différent, plus approprié à l'intention de Huene : l'essai de George Steindorf survole la politique et la culture égyptiennes de l'époque préhistorique à la conquête par les Perses.

Ce livre contient beaucoup de photos remarquables. Il traite avec une égale importance la plus petite amulette et les statues les plus colossales. Dans tous les cas, l'éclairage est superbe, en intérieur comme en extérieur. La lumière modèle une gazelle d'ivoire, au point d'en cerner avec précision la queue, fait rayonner de l'intérieur un gobelet d'albâtre, met en valeur une statut de Ramsès aussi merveilleusement que si cette dernière avait été photographiée en studio.

Huene présente, à travers des objets tendrement ouvrés, des œuvres d'art qui dépeignent les relations sociales, et des monuments imposants, la culture égyptienne comme émanant de véritables amoureux de l'art. Ainsi que dans l'*Hellas,* il a transcendé les limites de l'album de photos conventionnel par son amour et son respect du sujet. Cependant, il serait inexact de dire que Huene innovait entièrement avec ses photos de Grèce et d'Égypte. Dès 1839, Lerebours, l'éditeur des célèbres *Excursions daguerriennes,* avait envoyé des photographes en Égypte, à Baalbeck[21], à Athènes, et ailleurs. Dans les années 1850, beaucoup de photographes français et anglais ont parcouru la Grèce et l'Égypte.

Huene connaissait certainement les œuvres de Walter Hege, un photographe allemand qui alla en Grèce en 1928, peut-être à l'instigation du Metropolitan Museum of Art. Il publia *Die Akropolis* en 1930, et Huene, qui était au courant de l'intérêt que le Metropolitan portait à la Grèce antique, eut sûrement accès à cet album. Il est même possible que les deux hommes se soient rencontrés ou aient correspondu. Ils avaient un point de vue similaire sur leurs sujets et sur le rôle du photographe. Tous deux voyaient les œuvres des Anciens comme des sites historiques sacrés, dignes de notre vénération.

Page opposée : Miriam Hopkins, ensemble de Travis Banton, 1934. Voir aussi la planche 64. *Au verso :* à gauche, robe arabe d'Alix, 1935; à droite, ensembles de ski de Knizé et Patou, 1932.

VOGUE

ADVANCE
RETAIL
TRADE
EDITION

See Section Opposite Page 92

OGUE IS
UBLISHED

HOLIDAY • TRAVEL • RESORT FASHIONS

DECEMBER 15, 1934
PRICE 35 CENTS

VOGUE

Harper's
BAZAAR
January 1943
60 CENTS IN CANADA
TODAY'S WOMEN

Harper's
BAZAAR
April 194

Vogue
ADVANCE TRADE EDITION
EE SECTION OPPOSITE PAGE 72

Deux études de nature, sans titre, publiées l'une en face de l'autre dans *Mexican Heritage* (1946).

Le *Baalbek/Palmyra* de Huene parut en 1946. Il considérait la grande citadelle de Baalbek, avec ses ruines magnifiques et ses pierres gigantesques – parmi les plus grosses jamais utilisées – comme le site hellénistique le plus imposant de Syrie. Palmyre fut l'une des cités les plus célèbres d'Asie Mineure, une ville marchande florissante durant les périodes classiques et hellénistiques. Peut-être la fascination de Huene pour ce lieu devait-elle quelque chose à un livre qu'il a sûrement connu, l'in-folio admirablement illustré de l'Anglais Robert Wood, *Ruins of Palmyra and Baalbek* (1753).

Comme ses albums précédents, le *Baalbek/Palmyra* contient de belles photos, en particulier des vues panoramiques des sites dévastés, avec leurs tombeaux-tours d'un autre monde s'élevant au-dessus d'étendues désertiques. Cependant, ce livre n'est pas à la hauteur des précédents. Il paraît moins inspiré dans sa conception, et la mise en page des photos manque d'éclat. Il n'y a là rien de comparable avec la juxtaposition dynamique des images d'*Hellas.*

On retrouve cependant un peu de ce dynamisme dans le *Mexican Heritage,* publié en 1946. Peut-être le *Baalbek/Palmyra* exprimait-il les derniers moments de son intérêt pour le Vieux Monde, alors que le *Mexican Heritage* représentait un nouveau départ? De tous ses livres, c'est certainement celui qui embrasse la plus grande diversité de sujets – paysages, ruines, monuments anciens, sculptures, faune et flore, architecture coloniale (intérieure et extérieure), cimetières. Huene avait toujours essayé de dépeindre l'environnement en relation avec les hommes, mais ici, parmi la végétation la plus exotique qui soit, il s'oublia lui-même et capta,

Page opposée : quatre couvertures de revue où l'on s'est servi de photos de Huene. *Dans le sens des aiguilles d'une montre, en partant du coin supérieur gauche :* chapeau « Toyot » de Rose Descat, 1935; vichy de coton d'Ameritex, 1943; (sans intitulé) 1933; tailleur de Carolyn Modes, 1943.

grâce à son objectif, la beauté de la nature. Ayant (comme nous le verrons) abandonné la photo de studio, Huene tira un grand plaisir de cette liberté nouvelle et de ce souffle d'air frais que représenta pour lui, sur tous les plans, le Mexique.

Mexican Heritage est aussi un livre sur la culture, dans le sens le plus large du terme, et les études de la nature s'intègrent soigneusement dans l'ensemble de l'ouvrage. L'auteur du texte, Alfonso Reyes, explique en introduction que le paysage doit être comparé aux « documents archéologiques qui nous ont été légués ». L'art n'a pas de sens « sans l'interaction des questions posées par la nature et des réponses fournies par les hommes[22] ». Comme en Afrique, en Grèce et en Égypte, Huene se découvrit des affinités avec l'esprit qui imprégnait les vestiges du Mexique. Que cet esprit romantique ait survécu aux ravages du temps, dans les temples de pierre, dit-il, représentait « une récompense pour celui qui avait supporté toutes les désillusions de la banalité[23] ».

LES BONNES ANNÉES

En se consacrant tout entier à ses livres de voyage, Huene s'aperçut qu'il avait perdu ses illusions sur la photo de mode. Toujours très demandé à *Harper's Baazar,* il continuait à s'acquitter de sa tâche, mais son manque d'enthousiasme commença à affecter son travail. Peu décelable à l'époque, son scepticisme devient évident si on compare cette période à celle de *Vogue* ou même à celle de ses débuts à *Harper's Bazaar :* l'étincelle n'y était plus.

Durant la Seconde Guerre mondiale, trop âgé pour le service, il demeura à la Hearst Corporation. Avec la fin de la guerre, son malaise s'accrut. A ses yeux, la mode, telle qu'il l'avait vécue, n'avait plus de sens, et la mode existante lui paraissait banale (avant le New Look de Dior, en 1947). Il était temps pour lui de chercher d'autres horizons.

Huene envisagea de s'installer au Mexique. Le climat était merveilleux et il était tombé amoureux de cette culture flamboyante. Non loin de la Californie, ni même de New York – quelques-uns de ses amis s'y étaient déjà établis. Cet endroit semblait attrayant pour le travail comme pour le plaisir. Son enthousiasme initial transparaît d'ailleurs dans *Mexican Heritage.* Malgré la séduction de ce projet, il comprit qu'il ne pourrait pas vivre de ses livres, et décida de s'essayer aux films documentaires.

Il en produisit plusieurs sur l'art et l'architecture. Trois d'entre eux furent tournés en Espagne (ces films ont tous disparu et nous ne connaissons que le titre d'un seul : *The Garden of Hieronymus Bosch* – Le jardin de Jheronimus Bosch). Mais s'il prit grand plaisir à les faire, il dut admettre que les documentaires prenaient trop de temps et coûtaient trop cher pour qu'il puisse en vivre. De plus il était conscient que le documentaire représentait un genre mineur aux yeux des professionnels du cinéma.

Depuis quelque temps, son ami George Cukor, le célèbre metteur en scène, l'encourageait à venir à Hollywood où les talents raffinés de Huene, pensait-il, seraient appréciés. Il lui promettait un poste important accompagné de revenus substantiels. Après les déprimantes tentatives mexicaines, cette offre était trop belle pour que Huene la laissât passer; aussi en 1946, il partit pour la Californie du Sud.

Les années qui suivirent furent particulièrement satisfaisantes. Il aimait le climat de cette région et Cukor, ses collègues et les autres metteurs en scène pour lesquels Huene eut l'occasion de travailler – Don Weis, Jean Negulesco, Michael Kidd et Michael Curtiz – l'appréciaient beaucoup. Sa silhouette devint rapidement familière dans les studios où il s'appliquait à résoudre, avec talent, les problèmes d'esthétique posés par la couleur. Sous le titre ambitieux de « conseiller pour la couleur », il fit son chemin dans la bureaucratie des studios, parmi les cameramen, les costumiers et les décorateurs. Il conçut et dessina des décors, des costumes et des génériques. Pour réaliser ses idées, il lui fallut collaborer avec toutes sortes de spécialistes dont certains étaient des individus volontaires et très

Greta Garbo, par Huene, 1955. L'actrice que Huene admirait énormément depuis le début des années 20 devint sa grande amie durant ses premières années d'Hollywood.

créatifs. Il se servit des talents de « directeur » qu'il avait développés avec les mannequins, et il sut convaincre, cajoler et flatter. Plus d'une fois, il se sentit obligé d'invoquer ses privilèges de baron.

Tout en admirant les réalisations d'Hollywood, il était contrarié de dépendre de la technique. « Les Européens savent très bien improviser. Ils peuvent faire avec beaucoup moins. Ici, nous avons trop d'équipements[1]. » Il décrivit ainsi le bel art de conseiller qu'il pratiquait :

Pour concevoir une image, il faut se représenter quelle sorte de costumes iront avec le décor. Vous voyez, ma fonction est de faire savoir exactement au décorateur et aux costumiers ce que font chacun de leurs services et puis de décider à quoi ressemblera l'effet général. On ne peut pas dessiner les décors sans tenir compte des costumes. Cela n'aurait aucun sens. Le tout doit coller ensemble. Ma fonction consiste à tout coordonner. Et puis, très souvent, le costume, celui d'une star par exemple, doit pouvoir s'accorder avec différents décors : quelques combinaisons sont satisfaisantes et d'autres non, inévitablement. Mais, dans l'ensemble, on peut toujours jongler avec les choses[2]...

Pour *Heller in Pink Tights* (1960) (La Diablesse en collant rose), une délicieuse comédie avec Sophia Loren et Anthony Quinn, Huene prit des photos de plateau de Loren dont il tira des *cartes de visite**, comme cela se pratiquait au XIXe siècle. Elles furent signées « Hoyningen-Huene » dans le style « artistique » flamboyant qu'aimaient les studios de photos de cette époque. Même si dans le film, on ne faisait qu'entrevoir les cartes, l'à-propos stylistique de son nom – qui semblait tellement archaïque dans la Californie du XXe siècle – amusait Huene.

Huene dessina aussi des décors et des costumes pour ce film et imagina des effets de couleur recherchés. Une pièce peinte en brun reflétait l'abattement d'Anthony Quinn qui était assis là, morose. Brusquement les portes s'ouvraient en grand sur la pièce voisine, révélant une Sophia Loren encadrée de murs d'un bleu éclatant. Effet galvanisant qui remontait aussitôt le moral de Quinn, comme celui des spectateurs.

Huene expliqua comment furent combinés des effets de couleur de ce type pour un autre film :

Les répétitions de danse pour le « bal d'étudiants » sont terminées. C'est l'heure de la fermeture. Le producteur, le metteur en scène et le directeur de la photographie jettent un dernier coup d'œil au plateau qui est orné de guirlandes et de tentures rouges, blanches et bleues. Un bal de collège typique des années 20, dans une ville du Middle West américain. Maintenant, les hommes ôtent les feuilles de carton de protection sur lesquelles les danseurs ont répété. Le sol est gris. Alors, j'ai une idée qui, malheureusement, me vient bien tard : je suggère au producteur de le faire peindre en bleu vif, afin de rendre l'effet global encore plus gai et brillant. Le metteur en scène demande si c'est faisable ou non à une heure aussi tardive, le régisseur réclame le chef du service peinture, on alerte les bureaux de l'administration. J'ai provoqué une petite crise car on désapprouve les changements de dernière minute. Cependant, le projet est mis à exécution. Je sais que demain, cela fera plaisir à tous ceux qui sont concernés et que, deux jours plus tard, quand on projettera les premiers rushes, l'approbation sera probablement générale. Il vaudra mieux que ce soit bon car j'ai jeté un pavé dans la mare[3].

Dans son travail, Huene se servait de ses connaissances artistiques : une scène s'inspirait d'une peinture de Corot, une autre d'un dessin de Vélasquez. Il choisit même comme source d'inspiration une photo de presse de Weegee, le maître du genre. Huene expliqua les leçons que l'on peut tirer de l'art :

Dans la plupart des tableaux réalistes, et je ne fais pas allusion aux peintures abstraites ou cubistes mais à celles qui se rapprochent de la photographie, vous découvrirez qu'il y a une couleur dominante, soit chaude, soit froide. Par exemple dans les œuvres de Rembrandt, les couleurs appartiennent à des combinaisons de doré et de brun, avec des variations du ton chair au ton noir, mais toutes sont nettement chaudes, du genre sépia. Corot, dans les paysages de sa dernière manière, lorsqu'il peignait des saules et des rivières, utilise le gris perle, avec différents tons d'un gris très froid. Et puis, prenez le Corot du début, en Italie. Ses ciels ne sont ni trop lumineux, ni trop bleus, de merveilleuses ocres chaudes habillent de soleil les bâtiments méditerranéens, et le tout reste dans des tons ivoire, abricot et vert très voilé. Vous voyez que dans tous ces exemples, vous avez

* En français dans le texte.

Huene par le photographe d'Hollywood, George Hurrel. Sans date.

une coloration générale. Si vous mêlez plusieurs couleurs sans avoir une dominante, vos yeux seront distraits et vous ne saurez pas ce que vous êtes en train de regarder... [4].

Tout le monde n'éprouvait pas autant d'admiration pour ses expériences. Évoquant le tournage du film *A Star is Born* (Une étoile est née), l'acteur James Mason a fait le commentaire suivant :

Encouragé par Hoyningen-Huene, qui avait été engagé dans l'équipe de ce film en qualité de conseiller pour la couleur, George (Cukor) eut l'idée extravagante d'établir un rapport entre le thème de chaque scène qu'il essayait de tourner et l'œuvre d'un artiste peintre donné, dans le but d'obtenir une forte atmosphère visuelle. Pour la scène en question, il avait choisi Fuseli : il voulait capter l'émotion qui émanait de l'une des peintures de cauchemar de ce peintre. Je n'étais pas au courant de ce projet lorsque, dans un couloir, je tombai par hasard sur une jeune fille singulièrement peinte et habillée. Je l'arrêtai et dis : « Excusez-moi, mais quel rôle interprétez-vous? » Elle répondit : « Oh... je joue un rideau. » Il se révéla que Cukor allait disposer ces jeunes filles parmi les rideaux afin que, en remuant, elles puissent donner l'impression que ceux-ci étaient agités par la brise. Moi, perdu dans les brumes de l'alcool, j'allais croire que je voyais une jeune fille, et puis... « Ah! non, ce n'est qu'un rideau! » En tout cas, c'était ça l'idée. Elle n'a pas marché. Il a dû renoncer [5].

Faire des longs métrages n'empêcha pas Huene d'effectuer, parfois, des incursions dans le domaine du documentaire. Il retourna en Grèce en 1951, pour réaliser *Daphni : Virgin of the Golden Laurels* (Daphni : la Vierge aux lauriers d'or), un regard admiratif sur une superbe église byzantine du XIe siècle, près d'Athènes. Ce film est le seul des propres films de Huene à avoir survécu.

En 1947, on demanda à Huene d'enseigner la photographie à l'Art Center School de Pasadena. Heureux de l'enthousiasme des photographes professionnels en herbe, il prit un immense plaisir à enseigner. Il trouva les étudiants trop obsédés de technique. S'il était recommandé de faire d'excellents tirages et des négatifs sans défauts – recommandation à ne pas prendre à la légère dans la perspective d'une carrière éventuelle –, il ne s'agissait là non de fins mais de moyens qui, si on leur accordait une importance excessive, étouffaient la créativité. Absorbés par la technique, les étudiants en venaient aussi à se concentrer uniquement sur leurs propres problèmes, au lieu de développer leurs idées en harmonie avec celles des autres, comme de vrais professionnels sont obligés de le faire. Huene décida d'effectuer des changements essentiels dans le programme.

Il imagina de faire faire aux étudiants un magazine afin d'associer efforts individuels et collaboration. Cette revue nommée *Pacific* prenait modèle sur les publications bien connues comme *Esquire* et *Holiday.* Elle offrait un mélange d'articles, de portraits de personnages célèbres, de publicités, d'œuvres d'art et de photographies. La réalisation d'un magazine impliquait un plan de travail, des dates fixes et l'inévitable frustration des compromis, mais elle reflétait le monde réel.

Pour élargir son enseignement, Huene y introduisit la critique artistique. Il demanda aux étudiants de faire des interprétations photographiques de peintures réalistes, telles celles de Rembrandt ou de Vermeer. Un autre projet consista à réaliser le schéma de la mise en page – scène par scène, images et textes –, de la *Salomé* d'Oscar Wilde, à la manière de Aubrey Beardsley. L'exercice se poursuivait avec la conception et la construction de maquettes de décor qui furent photographiées. Les acteurs étudiants posèrent et se photographièrent entre eux. Pour finir, ils combinèrent les deux séries de photos afin que les acteurs aient l'air d'être dans des décors à leur échelle. Huene avait enseigné à ses étudiants comment obtenir un résultat de professionnel avec de maigres ressources.

Dans ses cours, Huene insista toujours sur l'utilité d'apprendre les techniques du dessin, bien qu'il dût se batailler avec ses étudiants sur ce point. « Écoutez, argumentait-il, si vous entrez dans le bureau d'un chef décorateur afin d'expliquer la photo que vous projetez de réaliser, faites un croquis, mais rapidement, en quelques traits de crayon, pour que cela fasse professionnel. Aussi les obligeais-je à faire des dessins avant de prendre les photos, ce qui les aida aussi[6]. »

Au milieu des années 50, Huene, cherchant à élargir ses propres horizons, prit de la mescaline, au cours d'une expérience menée par ses amis Aldous Huxley et Gerald Heard. « Ils désiraient essayer la mescaline sur un sujet formé visuellement, dont la capacité de perception fût précise et juste », expliqua-t-il.

Cette expérience m'intéressait et nous fixâmes une date. Le Dr Osmond, de San Francisco, versa une petite quantité de poudre blanche dans un verre d'eau, que je bus. Au bout de trois quarts d'heure, j'exprimai le vif désir de me rendre dans le jardin. Tout au long de cette expérience, j'ai remarqué que les œuvres des êtres humains ne m'intéressaient absolument pas, et, comme de bien entendu, ces derniers non plus, mais tout en passant d'un tronc d'arbre à une succession d'arbustes en pleine floraison, j'éprouvai une immense allégresse. L'optique me parut différente, la vue à distance ne comptait plus, mais les détails de fleurs, de feuilles, l'écorce des eucalyptus, semblaient exiger une attention, une contemplation et une étude sans fin. Tout était si exquis de texture, de forme et de couleur que je compris que je vivais un autre état de conscience, en relation intime avec la nature et en complète harmonie avec le milieu naturel... Les mots de la langue anglaise

Huene et sa classe de l'Art Center School, Pasadena.

étaient absolument insuffisants à décrire les merveilles que je contemplais. Pour la première fois de ma vie, j'envisageais la mort comme une fusion totale du moi avec la nature ; peut-être déployait-elle sur le corps, ainsi qu'une couverture, une couche de fange, mais elle finissait par le dissoudre dans l'univers. Cependant, le concept de mort violente ou de suicide n'avait pas sa place dans ce monde des phénomènes naturels. La nature semblait si vaste, si prodigieusement généreuse, que les personnes, le temps, les activités humaines, tout cela paraissait trivial en comparaison.

Au bout de quelques heures, l'effet cessa et je revins à ce que nous considérons comme « normal ». J'ai revu quelques-unes des plantes que j'avais admirées et elles m'ont semblé ordinaires comparées à cette impression que j'avais eue de parcourir une galerie où la nature aurait exposé ses chefs-d'œuvre. Je n'ai jamais recommencé cette expérience mais je m'en souviens dans les moindres détails. J'ose comparer ce que j'ai vu aux œuvres de quelques rares grands maîtres de la peinture – Turner, Redon, Van Gogh, Tchelitchev. Ils semblaient tous avoir joui d'une perception visuelle différente de celle des autres, peut-être due au fait que ces peintres étaient très sensibles aux couleurs violentes et les utilisaient en sachant leur aptitude à vibrer et à projeter de la luminosité sur une surface opaque. Quelques jours plus tard, j'écrivis un rapport et le transmis à Huxley[7].

Page opposée : Huene s'exerçant à la méthode de Pilates ; cette prise de vue fait partie d'une série de seize autoportraits semblables. Sans date.

L'admiration qu'il éprouvait pour l'un des « grands maîtres » – son vieil ami Pavel Tchelitchev –, celui-ci la lui rendait bien. Huene lui ayant écrit, en 1954, combien la vie qu'il menait en Californie avait fini par se révéler satisfaisante, le peintre répondit :

Mon très cher George,

J'ai été fort heureux de recevoir une lettre de vous qui contenait d'aussi bonnes nouvelles concernant votre vie et votre carrière. Ce fut merveilleux, pour vous, d'arriver enfin au but désiré, surtout considérant que vous n'avez jamais fait aucune concession, mais bien plutôt de grands sacrifices...

Vous possédez une chose qui vous a préservé et sauvé de toute souillure, même dans cette atmosphère douteuse des magazines de mode... L'amour de la perfection... Et puis votre amour de la simplicité – une qualité rare – car ce n'est qu'en aspirant à atteindre l'essence des choses que l'on peut saisir ce qui est simple – l'essentiel. Et l'on doit reconnaître que vous n'avez jamais pensé à vous-même – vous n'avez toujours eu que votre travail en tête. Vous avez fait preuve d'une extraordinaire humilité qui n'a en rien altéré votre dignité, mais qui, au contraire, vous a beaucoup aidé. Aussi maintenant, j'attends de vous des merveilles... Je crois que lorsque les gens sont confrontés à quelque chose qui est imprégné de pureté de sentiment et dénué d'obsession de soi, cela les abasourdit, comme une avalanche[8]...

Bien qu'il ait dit, dans des lettres à ses amis, combien sa vie en Californie était agréable, Huene avait cependant des moments de doute. Dans ces périodes de dépression, il se retirait dans ce qu'il appelait sa *chambre noire** et n'en émergeait plus pendant des jours. Le 12 septembre 1968, Huene mourut subitement d'une crise cardiaque, chez lui, à Los Angeles. Il avait déjà eu des alertes, mais dans une lettre à Horst, en mai de la même année, il avait écrit : « J'irai peut-être à Londres cet hiver travailler à *Right Hon. Gentleman* de Cukor... cela dépendra de la manière dont la pompe travaillera, et comme je ne suis pas un personnage célèbre, je n'aurai pas de greffe[9]. » Il laissait derrière lui plusieurs projets inachevés : un certain nombre de scénarios de film fondés sur des événements historiques ou la vie d'hommes illustres, comme Napoléon; son prochain livre de voyage, sur l'Espagne; et son autobiographie, à laquelle il avait travaillé avec son grand ami Oreste Pucciani, un érudit, professeur à l'université de Californie à Los Angeles. Ce texte aurait dû être illustré, non seulement de ses propres photos, mais aussi de celles des photographes qu'il admirait le plus, comme Steichen ou de Meyer.

Huene laissait aussi des archives composées de livres rares, augmentés de coupures de presse tirées de journaux et de revues et portant sur des sujets artistiques, et d'albums contenant des justificatifs de ses photos. Mais il n'avait pas autant d'égards pour ses tirages originaux. A l'exception de ceux qui se trouvaient dans les archives de Condé Nast, ses tirages et ses négatifs n'ont jamais été catalogués ni classés systématiquement, et il lui en restait peu au moment de sa mort. Bien que l'on ait découvert depuis des centaines de tirages, beaucoup de ses plus belles images n'existent plus que dans les pages de *Vogue, Vanity Fair* et *Harper's Bazaar.*

* En français dans le texte.

VOYAGES ET EXPÉRIENCES

68 Foulard et gants de Chanel, mannequin de Pierre Imans, 1934

69 Thérèse Dorny, 1931

70 Clip de diamants et topazes de Mauboussin, mannequin de Pierre Imans, 1934

71 Nouveaux bijoux, vers 1931

72 Masque vivant de Dolores Wilkinson, 1933

73 Robe du soir de Mainbocher, 1938

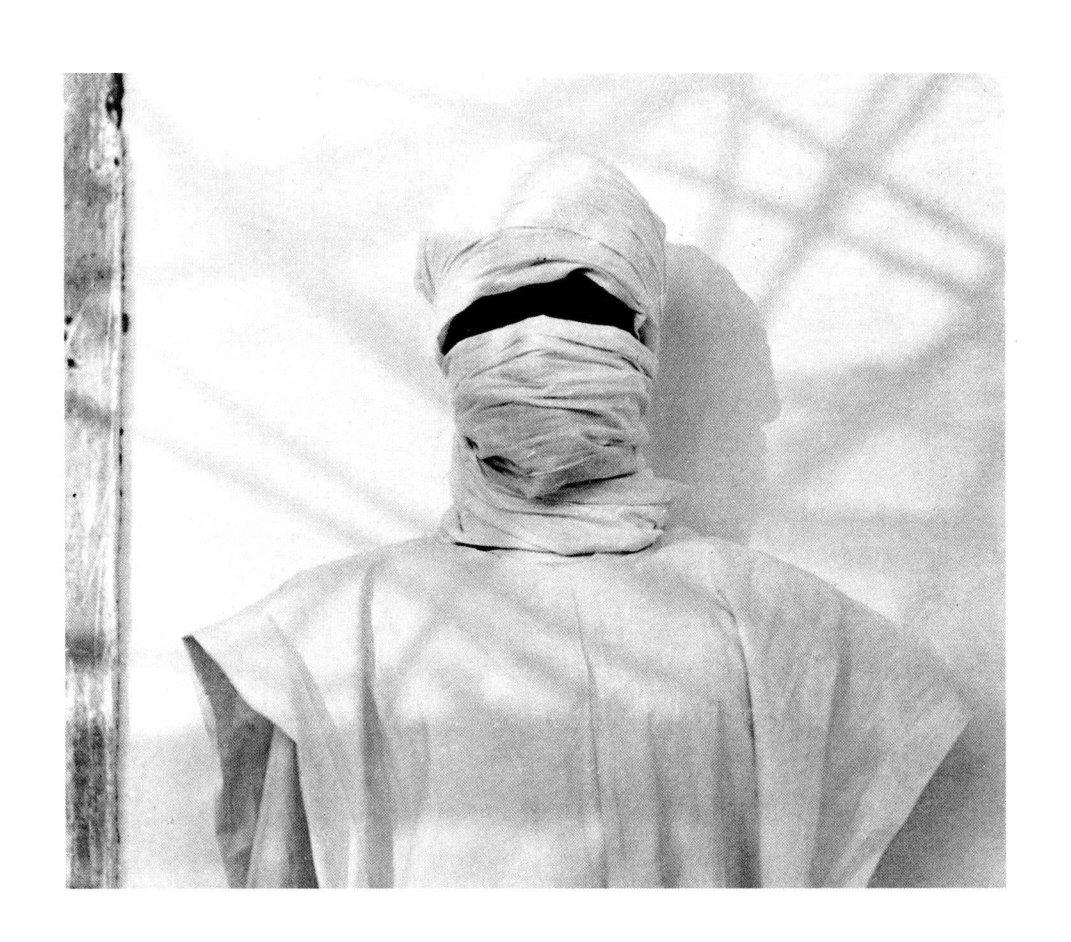

74 Tunisie, 1936

75 L'allée des sphinx, Karnak, Égypte, vers 1939

76 « Musulmanes d'un soir », bal costumé, 1929

77 Femmes de Fort-Lamy, 1936

78 Robe du soir de Jay Thorpe, 1936

79 Dolores Wilkinson, vers 1933

80 Femme de Fort-Lamy, 1936

81 Manteau d'Hermès, 1936

82 Un indigène du Congo belge, 1936

83 Résille de Talbot, 1935

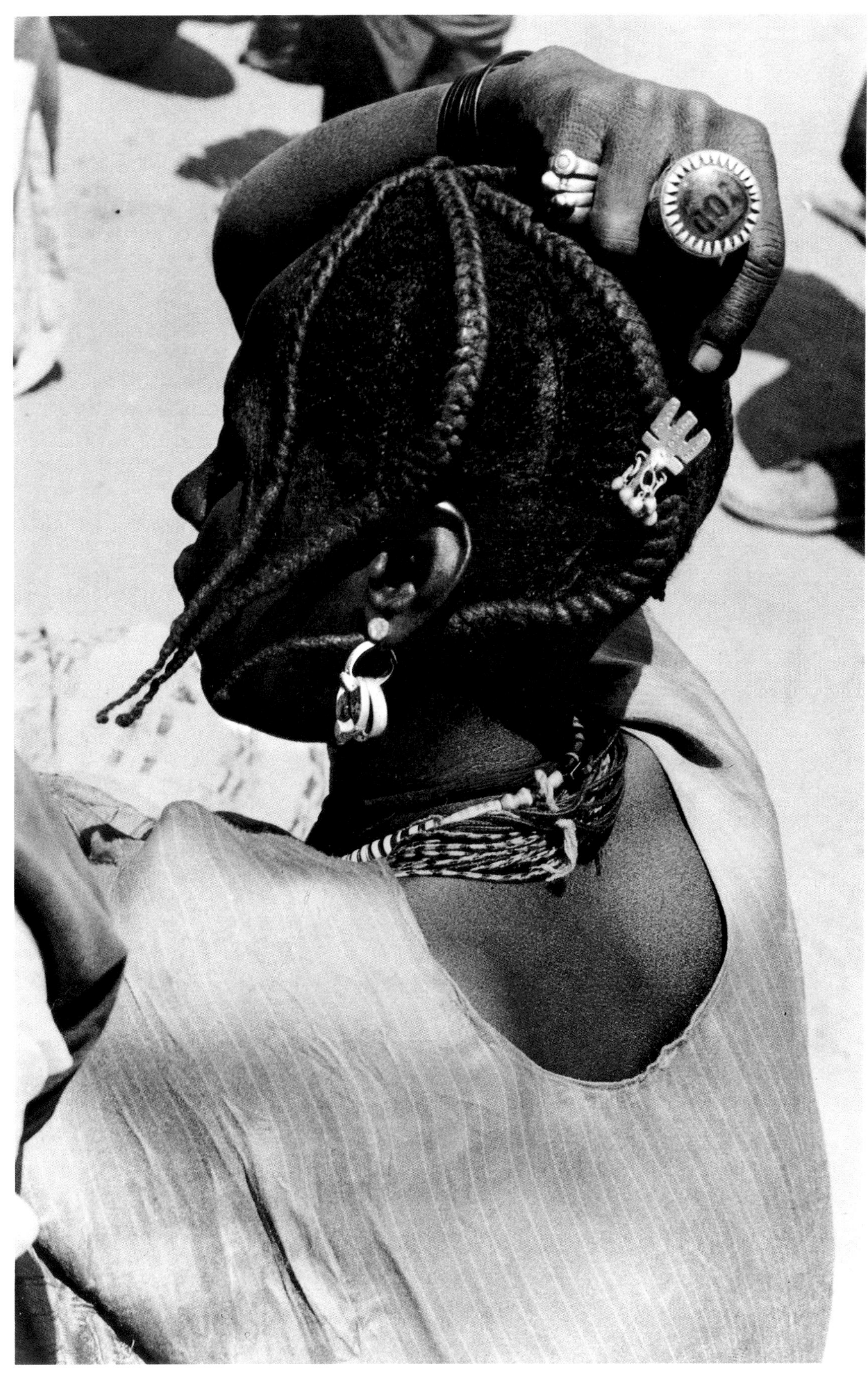

84 Femme de Fort-Lamy, 1936

85 Lady Abdy, 1933

86 Grues huppées au bord du Nil, 1936

87 Temple de Khéphren, Gîza, Égypte, vers 1939

88 Nu, Paris, vers 1929

89 Agneta Fischer présentant des gants de soirée, 1931

"NOTRE MAITRE A TOUS"

Bien que l'autobiographie soit restée inachevée, nous savons quelles illustrations l'auteur avait prévues : seize photos de mode, du début des années 30[1]; sept portraits de femmes, surtout des amies, dont Coco Chanel, Nathalie Paley, la grande-duchesse Marie de Russie et lady Abdy; trente-trois portraits d'actrices célèbres, telles Garbo et Hepburn; une douzaine de vues des anciens sites de Grèce et d'Égypte; un petit nombre de photos de voyage; plusieurs études d'indigènes d'Afrique; un bon nombre de reproductions d'œuvres de ses relations les plus célèbres, comme Dali, Tchelitchev et Bérard; et vingt-deux portraits d'hommes, dont Horst, Derain, Weill, Chaplin, Bérard, Tchelitchev et Cukor. Edward Steichen et le baron de Meyer figuraient aussi à titre de mentors. Mais que peut-on dire de son propre apport à la photographie?

L'historienne Nancy Hall-Duncan a suggéré que l'influence de Huene a été moindre que celle de Steichen, « parce que la rigueur et la clarté de la composition de ses meilleures œuvres étaient impossibles à imiter[2] ». Il faut aussi reconnaître qu'après guerre, les critères du beau étaient moins liés aux valeurs européennes et aux conventions de l'élégance; de plus, le désir de se référer aux classiques ou au grand art s'affaiblissait. Beaucoup de très jeunes photographes ne pouvaient comprendre cette iconographie ou, s'ils le faisaient, la rejetaient comme démodée et inintéressante. Mais *l'influence** existait toujours, dans l'exemple qu'il avait donné, et quelle que soit la direction choisie par un photographe, il ne pouvait échapper aux valeurs et aux réalisations de Huene[3].

Il était peut-être impossible de l'imiter, mais certains de ses collègues essayaient parfois. Considérons, par exemple, un groupe de photos de Martin Munkacsi, à la manière de Huene, qui parurent dans le numéro de septembre 1938 de *Harper's Bazaar*[4]. Voilà une tentative d'imiter l'élégance raffinée de Huene qui a lamentablement échoué, comme si on avait recruté au pied levé de timides campagnardes pour présenter la haute couture; elles ont l'air embarrassées et raides, ne sachant comment se tenir. Et l'éclairage de Munkacsi ne met pas en valeur les vêtements. De même, une double page de Louise Dahl-Wolfe, dans le numéro d'octobre 1938 du même magazine, pêche par manque de réelle grâce[5]. Il ne s'agit pas de déprécier ces deux photographes. Munkacsi fut, un temps, inégalable dans sa représentation sportive de la jeune fille américaine; et les compositions ingénieuses en couleurs de Dahl-Wolfe excitèrent l'envie de tous les photographes. Mais ces comparaisons soulignent la virtuosité de Huene.

Dans la photographie de mode, l'influence n'est pas facile à déceler. Et puis, comme maintenant, le monde de la mode faisait grand cas de l'innovation et cultivait la mystique de l'originalité dans toutes les tentatives créatrices associées à la promotion de l'habillement féminin. Ceux qui publiaient dans les magazines défendaient jalousement leur réputation. La nouveauté était leur capital et ils pouvaient difficilement admettre une influence quelconque – sauf celle d'un grand

* En français dans le texte.

Ensemble de Piguet, chapeau de Talbot. Photo de Horst, 1936.

peintre, ce qui cautionnait leur propre style en regard de la grande tradition artistique. Mais les faits étaient différents, ainsi que le montre un simple coup d'œil sur les magazines. A l'évidence, d'importantes concessions mutuelles existaient. L'œuvre de chaque photographe tenait la vedette à tour de rôle chaque mois dans les pages de *Harper's Bazaar* et de *Vogue* (et durant certaines périodes, deux fois par mois). Il était impossible d'ignorer ce que faisaient ses concurrents. Même le plus novateur ne devait pas perdre de vue le travail de ses collègues, étant donné le rythme exténuant imposé : vingt, trente ou même quarante photos nouvelles par numéro, pour les plus âgés des collaborateurs. Doit-on s'étonner qu'ils aient effectué de mutuelles incursions sur leurs territoires stylistiques ? Même Steichen, qui avait enseigné tant de choses à Huene, réagit aux brillantes images de ce dernier par de hardies mesures défensives. Peut-être le maître a-t-il pressenti que son protégé deviendrait son rival pour le poste de photographe en chef, chez Condé Nast. De nombreux chefs-d'œuvre de Steichen, tel « Black[6] », vinrent bien après que Huene se fut manifesté comme une force avec laquelle il fallait compter[7].

L'influence de Huene sur sa collègue Louise Dahl-Wolfe est difficile à cerner avec précision. Elle-même ne parle que d'un respect mutuel. Quand ils dînaient ensemble, en ville, ils discutaient rarement de photo[8]. Elle répugnait aux visions grandioses – les temples n'avaient pas leur place dans ses projets sans prétention. Mais tous deux étaient sur le même terrain lorsque survenaient des situations embarrassantes, lorsqu'il fallait résoudre les problèmes par l'intelligence et la débrouillardise, et non par des moyens techniques coûteux. Ainsi Huene emmenait ses mannequins sur le toit tandis que Dahl-Wolfe éclairait ses baigneuses de nuit avec les phares d'une automobile.

Si elle échoua dans ses tentatives occasionnelles pour égaler les compositions magistrales de Huene en studio, elle le dépassa dans le domaine de la couleur. Étant, de son propre aveu, un peintre frustré, elle pratiqua « la science et l'art de la couleur » et pratiqua des combinaisons de couleurs insolites avec un grand succès[9]. Autrement dit, les deux photographes avaient leurs qualités respectives. Professionnels prolifiques, ils avaient autant d'idées novatrices l'un que l'autre.

Pour Cecil Beaton, il ne fallait pas imiter le classicisme de Huene, mais ses élans de fantaisie, moins caractéristiques :

Il y avait quelque chose de presque frivole dans la manière dont Huene apportait, dans ses studios, toute une collection nouvelle d'accessoires. Des femmes riches et illustres perdaient au jeu lorsqu'elles essayaient de garder leur dignité sur fond de colonnes corinthiennes, de moulages de torses helléniques, de têtes de dieux grecs ou de plumets d'herbes de la pampa... ses mannequins semblaient folâtrer parmi de gigantesques vases de porcelaine remplis d'orchidées gargantuesques... les violentes activités de Huene dans les pages de *Vogue* m'incitèrent fortement à rivaliser d'excentricité avec lui[10].

Ce compliment paraît plutôt équivoque. Beaton s'incline devant les prodiges accomplis par Huene dont il met pourtant en doute le résultat final : dans ses photos, les femmes « perdent au jeu ». Mais il s'agit de Mémoires et il ne faut pas prendre le jugement de Beaton au pied de la lettre. Son ardent esprit de compétition est plus significatif.

Bain de nuit par Louise Dahl-Wolfe, 1939. Les mannequins étaient éclairés par les phares d'une automobile.

Horst, lui, plus jeune que Beaton, n'eut jamais de mal à reconnaître ce qu'il devait à Huene dont il était le protégé. Quelle meilleure manière d'apprendre la photo que de jouer le rôle de modèle et d'avoir ainsi tout le temps d'étudier les méthodes de travail de l'homme qui est derrière l'objectif! Horst prit soigneusement note de la concentration et de l'autorité de Huene. Plus tard, il observa la rigueur de ses compositions et l'attention qu'il apportait aux détails. Il apprit de son ami comment mettre en scène les gestes pour animer une image, ainsi que le registre expressif de l'éclairage en clair-obscur et la puissance des motifs classiques. Huene encouragea aussi Horst à chercher des idées dans la peinture et la sculpture. Ainsi les photos de ce dernier font parfois référence à des œuvres spécifiques – buste de Houdon ou intérieur de Vermeer –, ou plus généralement à des styles, des écoles ou des périodes. Nous pouvons reconnaître chez Horst, avec des traits empruntés au classicisme, quelque chose du modelage méticuleux de Ingres et de la riche interprétation de la matière de Van Dyck. Ce qui peut expliquer pourquoi certains écrivains ont qualifié le style de Horst de « baroque » et d'autres de « néo-classique ». En réalité, Horst pratique l'éclectisme, et dans ses photos, ordre classique et imagination baroque vivent en bonne entente[11]. Horst rendit hommage à Huene dans *Salute to the Thirties* (Salut aux années 30), publié trois ans après la mort du maître. Dans ce livre, préfacé avec nostalgie par Janet Flanner, les photos de Huene de cette époque sont présentées côte à côte avec celles de son grand ami.

Huene quitta *Harper's Bazaar* – et la photo de mode – en 1945. Quelques années plus tard, il écrivit, en réponse aux demandes d'un étudiant :

> Je pense que l'on est passé de la photo aux lignes pures à celles d'aujourd'hui pour les raisons suivantes : (*a*) beaucoup de photographes ont commencé à se servir d'équipements stroboscopiques; (*b*) la plupart des photographes n'aimaient pas beaucoup les éclairages complexes qui prennent beaucoup de temps; (*c*) dans les photos de mode, le mouvement semblait plus important que la forme; et (*d*) tout changement d'un type ou d'un style est normal et sain[12].

Il renonça donc avec élégance à sa position – apparemment sans doutes ni amertume – en faveur de rivaux d'une autre génération dont les plus doués étaient Richard Avedon et Irving Penn.

Lorsque Huene décida de quitter ce domaine, immédiatement après la guerre, la tradition de la photo de studio avait encore gardé son prestige. Le modernisme avait triomphé avec Steichen, et le pictorialisme, illustré par de Meyer, déclinait, les exploits de Beaton l'empêchant seuls de s'effacer complètement. Dans l'ère d'après-guerre, les conceptions du réalisme et celles du formalisme de studio, autrefois opposées, se réconcilièrent dans l'œuvre de Richard Avedon.

Avedon a toujours dit beaucoup de bien de Huene. En 1980 il envoya un télégramme de félicitations, à la veille de l'inauguration de la rétrospective du maître. « Huene était un génie, affirme Avedon, notre maître à tous. » Ces mots ne lui furent pas seulement inspirés par l'admiration professionnelle mais par de profondes affinités. Avedon n'avait pas cherché, dans les photos de Huene, des idées intelligentes à mettre à profit. La transfusion s'était effectuée à un niveau plus essentiel – la transmission de principes, la communication de valeurs. Avedon ne s'abaissa jamais à imiter Huene mais chercha à égaler son autorité. Sa *Marella Agnelli,* par exemple, peut être associée à *Toto Koopman, robe du soir d'Augustabernard, 1933* de Huene, et lue comme un hommage au style sobre et raffiné de Huene.

Beaucoup de photographes de mode ne mettaient guère en jeu, dans leur travail, la connaissance de ce qui avait été accompli par leurs prédécesseurs. Avedon, comme Huene, avait une conscience aiguë et une appréciation sincère des réalisations passées, et un désir de les continuer – la tradition dans le vrai sens

Dovima, robe du soir de Fath, Richard Avedon, 1950 *(ci-dessus)* : image qui évoque l'influence de Huene. A comparer à Toto Koopman, robe du soir d'Augustabernard, 1933 *(ci-dessous)*.

Page opposée : Marella Agnelli par Richard Avedon. Studio de New York, 1953.

Lisa Fonssagrives-Penn, « Robe de sirène » de Rochas, 1950, photographiée par Irving Penn *(droite)* et qui présente un idéal d'élégance inspiré par une photo comme celle de la robe de Diane de Mainbocher, 1937 *(gauche)*, portée par le même mannequin et photographiée par Huene.

du terme. Avedon s'appuya non seulement sur les bases fournies par Huene et Munkacsi (comme le prouvent ses très précoces photos de rues, à Paris), mais sur des poètes de l'appareil photo comme Henri Cartier-Bresson, Bill Brandt et Brassaï, publiés tous trois régulièrement dans *Harper's Bazaar.*

Dès le début, Avedon fonça avec une grande confiance dans ses propres idées. Plus qu'aucun de ses prédécesseurs, il saisit la vraie nature du média : le format page double, déplié, du magazine, et *non* l'image photographique rectangulaire, lisérée et autonome. Avec Brodovitch, dont il avait reçu l'enseignement, il produisit la plus dynamique union de l'image et du texte jamais vue dans les revues de mode. Huene aussi remarqua ces réalisations et, durant la période brève et fascinante où tous deux parurent dans le *Harper's Bazaar* (1945-46), nous voyons chez lui les signes d'une nouvelle orientation, signes qui – s'il avait continué – auraient pu préfigurer une méthode de travail totalement autre. Ses collègues ne se trompaient peut-être pas en disant qu'il avait abdiqué prématurément et dilapidé ses dons en allant chercher quelque Byzance au sud de la Californie[13].

A l'encontre d'Avedon, Penn semble soucieux de se tenir à distance de Huene. Les conventions et les valeurs européennes étaient, nous dit-il, « étrangères à mon expérience, comme le travail de Huene, certes remarquable, mais dont le per-

Page opposée : Arletty, ensemble de Schiaparelli et chapeau de Reboux, 1939. Datant de la fin de la carrière de photographe de mode de Huene, ce cliché annonce la simplicité de présentation d'Avedon.

Page opposée : cape de Goya de Traina-Norell, 1945. L'une des dernières photos de mode de Huene, qui suggère un élargissement de son vocabulaire habituel, peut-être sous l'influence d'Avedon, arrivé depuis peu.

fectionnisme aristocratique n'avait rien à voir avec mes aspirations[14] ». Au premier abord, le désaveu surprend, étant donné les similitudes extraordinaires que présentent les deux personnalités dont le « perfectionnisme aristocratique ».

On admire les œuvres de Penn pour leur clarté formelle et leur force tranquille. Des descriptions tout aussi appropriées pourraient employer les qualificatifs monumental et intransigeant. Son souci de la forme ressemblait fort à celui de Huene : un sens impérieux des lignes, une silhouette dramatique et un amour de l'abstraction caractérisent sa photo. Les deux hommes se servent de toute une gamme de tonalités et de contrastes spectaculaires de lumière et d'ombre, bien que l'antagonisme des blancs et des noirs, chez Penn, soit en général plus dramatique, comme l'est sa géométrie précise. Parfois, cette vigueur est d'une sévérité à la limite du pétrifié.

Tous deux aimaient la peinture et ce que nous avons dit de Huene à ce sujet s'applique aussi à Penn. Leur art du portrait avait également été inspiré par Nadar. S'agissant de la faculté de tirer des leçons du passé, certaines photos de Penn (par exemple, *Jeune Fille derrière une bouteille de vin*[15]) ne sont-elles pas dans le langage pictural du baron de Meyer? De plus, à cause de la fascination qu'ils éprouvaient l'un comme l'autre pour l'indigène, Penn et Huene rejetaient l'idée de la mode considérée comme frivole : le vêtement et la parure représentaient l'expression d'une culture. Leurs méthodes ont peut-être été différentes (Penn

Deux Guedras, photographiés au Maroc en 1971, par Irving Penn qui, comme Huene, pense que la mode et les vêtements ne sont pas des choses frivoles mais des éléments qui font partie intégrante de la culture.

HOODS CAPES SPATS

• The Goya cape, mysterious as the caballeros hovering in the background of *Mayas on a Balcony*. Black Rodier wool, with a great round collar to turn up or down. A pointed black velour cap; a narrow black dress. By Traina-Norell. John Frederics black felt spats.

For stores and prices, see page 162

PHOTOGRAPHS BY HOYNINGEN-HUENE

transportait son studio sur le terrain alors que Huene retournait simplement à sa technique de studio) mais ils partageaient un goût ardent pour l'habillement en tant que produit de l'ingéniosité humaine et impulsion à fabriquer de l'art.

Comment alors expliquer l'attitude réservée de Penn ? Peut-être la distance est-elle idéologique plus que formelle ? Huene arrêta avec la guerre tandis que Penn débuta avec elle. Peut-être ce cataclysme ayant révélé combien l'univers de la mode était éloigné du monde réel, explique-t-il la propension qu'avait Penn à dévoiler les artifices du studio – bords grossiers des toiles de fond, câbles et autres équipements du métier ? S'il en est ainsi, la quête de Huene cherchant à rendre les illusions convaincantes par des moyens artificiels semblerait mensongère.

George Hoyningen-Huene était un aristocrate, né dans la magnificence en plein déclin de la Russie impériale, d'une famille accoutumée depuis longtemps aux prérogatives d'un rang social élevé, au pouvoir et à la richesse. Les relations avec le monde extérieur, et le point de vue qu'elles leur apportaient sur une Russie encore très médiévale, n'étaient pas le moindre de leurs privilèges. Lorsque se déclencha la révolution, Huene et tous ceux de sa classe étaient mieux équipés que leurs compatriotes pour en affronter les conséquences. Bien que Huene ait perdu biens matériels et commodités sociales, on ne put lui arracher les attributs intangibles de la noblesse : une éducation mondaine, des manières raffinées, une allure distinguée et une confiance en soi inépuisable qui lui permirent de triompher des eaux turbulentes de la révolution, sans parler des écueils d'une vie d'adulte normale. Huene était souvent impérieux, et même arrogant, bien que ses amis soutiennent qu'il ne s'est jamais conduit en snob. « Sauvage, révolté, impossible* », dit Cole Porter en se plaignant d'une sortie violente de Huene[16]. Mais George Cukor affirme qu'il employait généralement ce ton autoritaire devant l'incompétence et la négligence, ou lorsqu'on s'attaquait à ses croyances.

Certes, Huene ne fut jamais prétentieux quant à son métier. Il considérait prosaïquement cela comme une profession, un moyen de gagner agréablement sa vie. Bien qu'il fût prêt à admettre que la photo de mode exigeait beaucoup d'ingéniosité et offrait de substantielles rémunérations, il ne lui accordait qu'une importance limitée. L'étude et l'appréciation de l'art – en particulier des chefs-d'œuvre étonnants des anciens Égyptiens, des Grecs et des Romains – lui paraissaient bien plus constructives. La culture de l'Antiquité n'était pas constituée de monuments lointains, morts et enterrés, mais de choses éternelles qui vibraient de vie. « Le passé fonce sur vous, d'au-delà les siècles[17] », écrit-il en parlant de ses expéditions. C'était un véritable *amateur** des arts classiques, qu'il aimait et cultivait. Pourquoi s'étonner qu'il ait abandonné brusquement la photo de mode, à l'apogée d'une carrière brillante, pour s'embarquer dans de nouvelles aventures ?

Il est incontestable que Huene a apporté une exceptionnelle contribution à la photo de mode et qu'on l'imite encore aujourd'hui. Mais son œuvre, ensemble complexe, déborde de beaucoup l'illustration de mode[18]. Admirer ses superbes portraits et ses études sur l'architecture, ou reconnaître l'importance prodigieuse de sa production ne suffit pas. La clef de cette œuvre repose dans la cohérence, la complexité intellectuelle et l'interconnexion de ses idées. Finalement, son œuvre doit être considérée comme un système d'images cohérent, caractérisé par la précision, l'économie de moyens, l'harmonie, l'élégance et l'acuité psychologique. Les meilleures de ses photos ne nécessitent aucun sous-titre. Elles n'exigent pas, de la part de celui qui les regarde, qu'il s'intéresse spécialement à la mode, ou, dans le cas des portraits, qu'il connaisse l'identité des modèles. La perfection créatrice ennoblit la matière du sujet. Comme dans les plus belles œuvres d'art, la forme transcende la fonction.

* En français dans le texte.

AMIS
ET
CONNAISSANCES

90 Nimet Eloui Bey, 1929

91 Le baron de Meyer, 1932

92 La marchesa de Sommi Piccinardi chez elle, Rome, 1931

93 Gustaf Gründgens, 1932

94 Jean Cocteau , 1930

95 Marie-Louise Bousquet, vers 1930

96 Igor Stravinski, 1927

97 Soulima Stravinski, 1934

98 Janet Flanner, 1930

99 Cecil Beaton en Elinor Glyn, 1930

100 Gabrielle « Coco » Chanel, 1939

101 Johnny Weissmuller, 1930

102 Actrice non identifiée, 1930

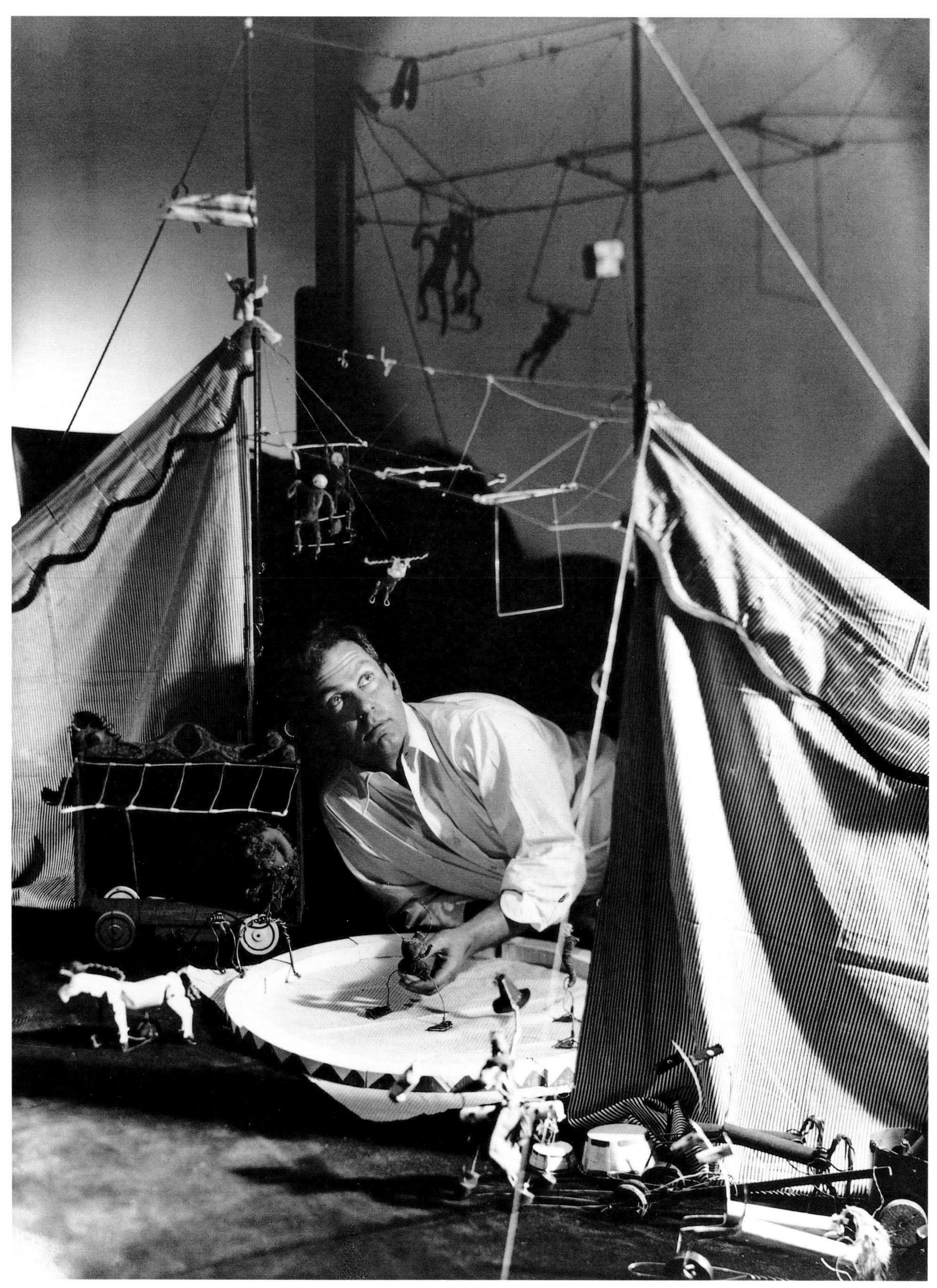

103 Alexander Calder, 1930

104 Frank Capra, vers 1934

105 Tamara Toumanova dans *Cotillon,* 1932

106 Serge Lifar dans *La Chatte,* 1927

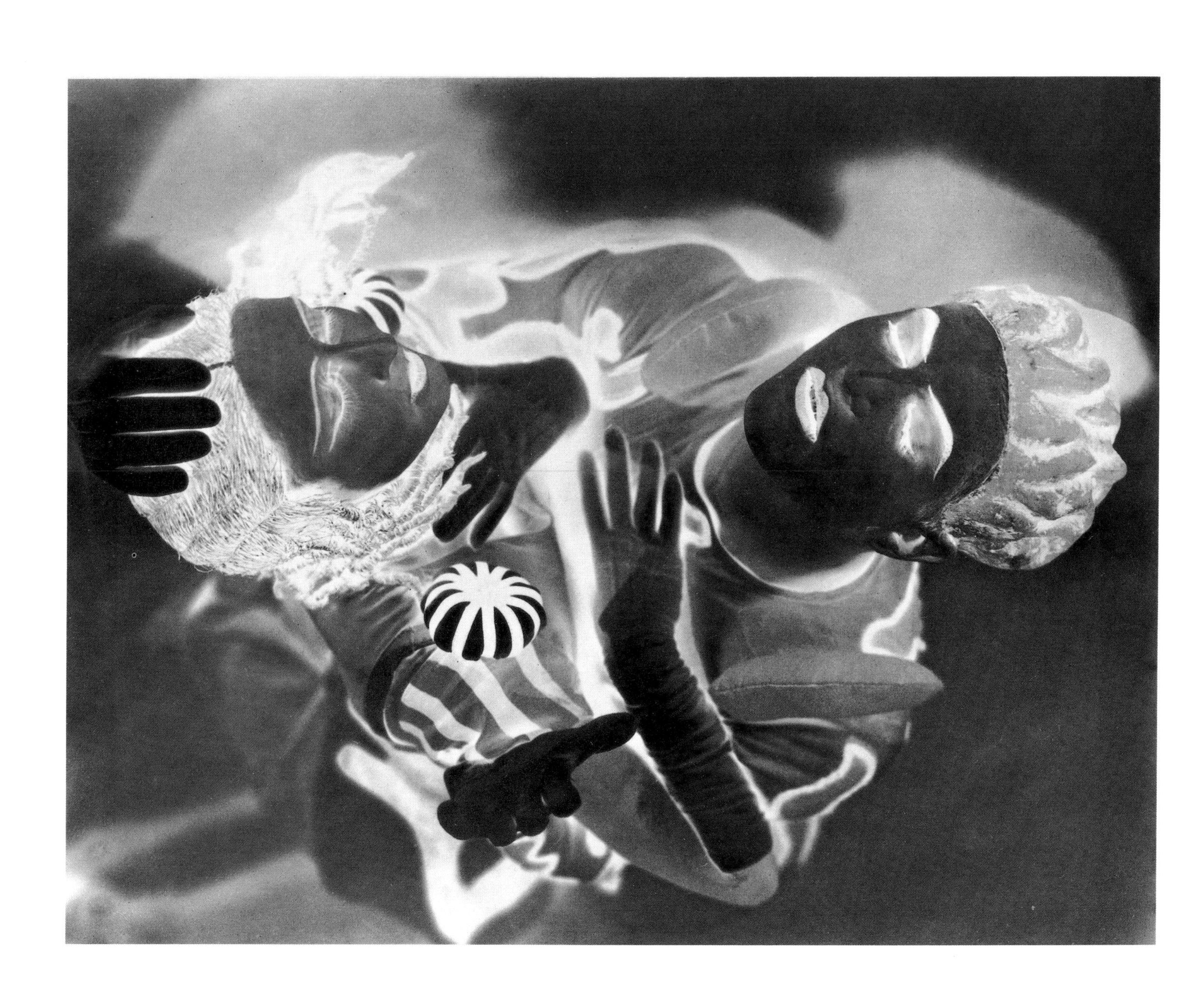

107 Olga Spessivtseva et Serge Lifar dans *Bacchus et Ariane,* 1931

108 Zeilinger avec l'un de ses dessins, 1933

109 Dolores del Rio, vers 1940

110 Serge Lifar, 1930

111 Jean Barry, 1931

112 Joséphine Baker, 1929

113 Maurice et Yvonne Chevalier, 1927

114 Antoine et l'une de ses créations, 1933

115 Koval, 1927

116 Rudy Vallée, 1929

117 Ernst Lubitsch, 1934

118 Lotte Lenya, 1933

119 Edith Evans, 1930

120 Heinz Klingenberg dans *L'Atlandide,* 1932

121 Richard Cromwell, 1934

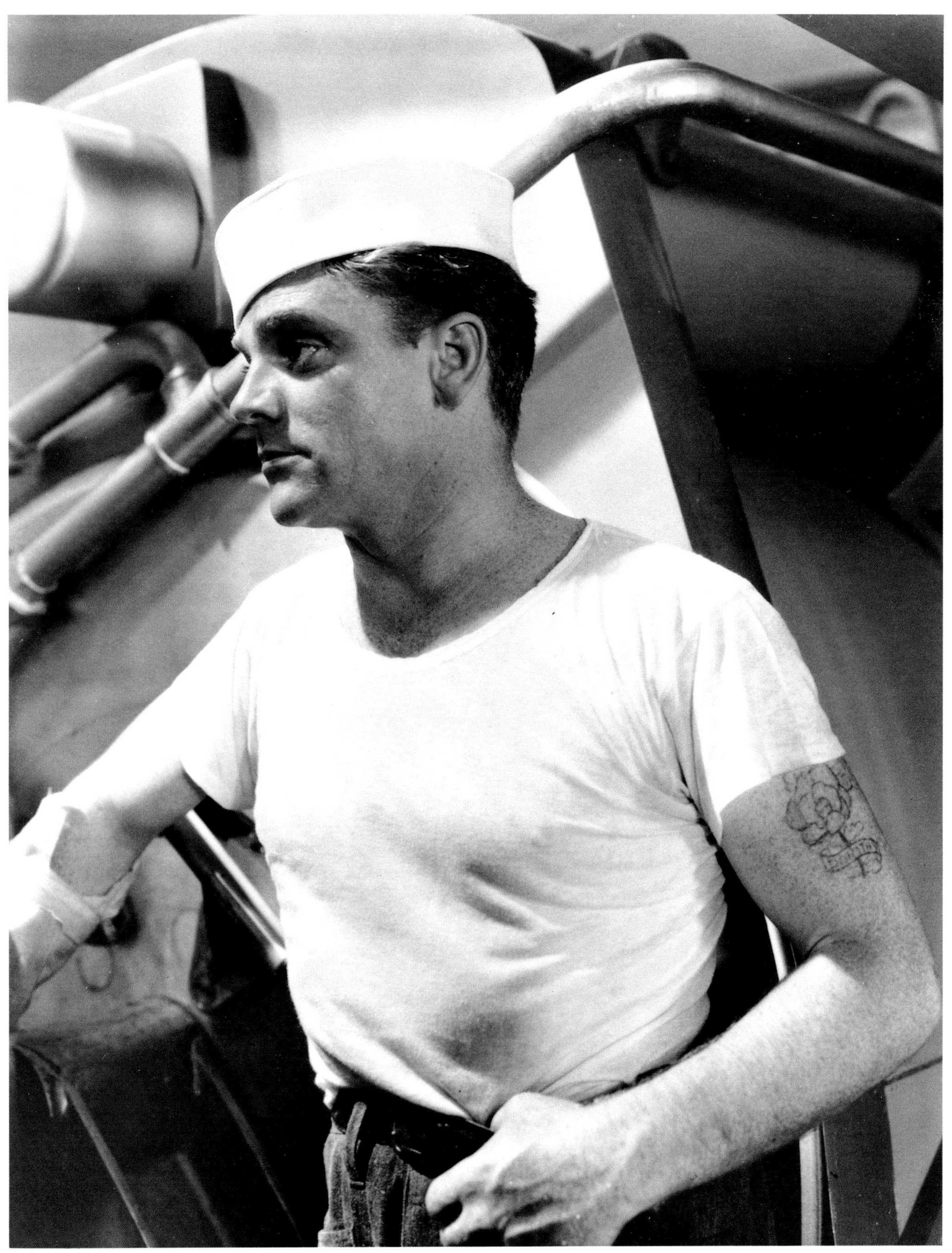

122 James Cagney dans *Here comes the Navy* (Voilà la marine) de Lloyd Bacon, 1934

123 Gertrude Lawrence, 1928

124 Kurt Weill, 1933

125 Mme Palmer Thayer Beaudette, 1942

126 Gary Cooper, 1934

127 Charlie Chaplin, 1932

128 Henri Cartier-Bresson, vers 1933

129 La duchesse de Windsor, 1937

130 Le duc de Windsor, 1937

131 Christian Bérard, 1932

132 Marlène Dietrich, vers 1932

133 Cary Grant, 1934

134 Katharine Hepburn, 1934

135 Judy Garland, 1945

CHRONOLOGIE
NOTES DES ILLUSTRATIONS
NOTES DU TEXTE
BIBLIOGRAPHIE
INDEX

CHRONOLOGIE

1885 George Van Ness Lothrop, le grand-père de Huene, est nommé ministre plénipotentiaire et envoyé extraordinaire à la cour d'Alexandre III par le président Cleveland. Il s'installe à Saint-Pétersbourg avec sa femme Elmira et ses filles.

1898 *Naissance du parti ouvrier social-démocrate de Russie.*

1900 Naissance, à Saint-Pétersbourg, de George Hoyningen-Huene, troisième enfant du baron Barthold von Hoyningen-Huene et de Anne, *née* Van Ness Lothrop.
Grande Exposition universelle à Paris.
Naissance du jazz à La Nouvelle-Orléans.

1902 *Invention de la rayonne.*

1903 Apprentissage de l'anglais.
Les sociaux-démocrates russes se scindent en mencheviks et en bolcheviks.
Les frères Lumière inventent la photographie en couleurs.

1904 *Paul Poiret inaugure sa maison de couture.*
Isadora Duncan triomphe à Paris.
Gertrude Stein arrive à Paris.

1905 La famille passe une partie de l'hiver dans leur domaine de Nawwast, en Estonie.
La guerre russo-japonaise se termine par la défaite de la Russie.
« Le Dimanche rouge » et la première révolution russe.
Des paysans en maraude brûlent et pillent les manoirs des provinces baltes.
Première exposition de « Fauves » au Salon d'automne de Paris.

1907 Huene passe l'été à Bad Kreutznach, en Allemagne, et à Saint-Moritz, en Suisse.
Picasso peint les Demoiselles d'Avignon.

1908 *Le mot cubisme est prononcé pour la première fois, à l'occasion d'une exposition de Braque.*
Début de la mode moderne avec la publication, à Paris, du livre de Paul Poiret, Les Robes de Paul Poiret, *illustré par Paul Iribe.*

1909 Premier précepteur.
Première saison, à Paris, des Ballets russes de Diaghilev.
Condé Nast achète Vogue.

1910 Début de la scolarité de Huene.

1911 Il visite Berlin avec sa tante Anna et la sculpture classique l'impressionne fortement.
Salles cubistes au Salon d'automne et au Salon des indépendants, à Paris.

1912 Hiver à Reichenhall, en Allemagne, et à Cannes, en France. Été à Florence, Rome, Sorrente. Visite du Vésuve.
Madeleine Vionnet ouvre sa maison de couture, à Paris.
Robert Delaunay peint La Tour Eiffel.
Invention de la cellophane.

1913 *Igor Stravinski compose* Le Sacre du Printemps.
Charlie Chaplin signe un contrat avec Keystone Films.

1914 Huene apprend le français. Été à Nawwast. Il fréquente le lycée impérial à Saint-Pétersbourg. Ses sœurs deviennent infirmières. La mère et le fils partent pour Yalta.
28 juin – 29 juillet : série de déclarations de guerre.
Les combats de l'hiver n'aboutissent à rien.
Le baron de Meyer est engagé comme photographe en chef chez Condé Nast.

1915 Été à Blagoveshchenskoye, en Ukraine. Il rend visite à son père à Nawwast, qui sera occupé par l'armée allemande en 1917.
Le front russe cède au sud.
Le tsar assume le commandement en chef des armées.
L'offensive austro-allemande prend fin avec la prise de Vilna.

1916 *4 juin : sur le front de l'est, la grande offensive de Brasilov est brisée par l'arrivée de 15 divisions allemandes. Démoralisation dans les rangs russes.*
30 décembre : assassinat de Raspoutine.
Picasso, Jean Cocteau, Erik Satie et Léonide Massine présentent Parade *à Rome.*
Guillaume Appollinaire anticipe le surréalisme dans Les Mamelles de Tirésias.

1917 Helen, l'une des sœurs de Huene, arrive à Yalta. Les marins rouges perquisitionnent et assignent la famille à résidence. Tandis qu'Helen reste, la mère et le fils retournent à Saint-Pétersbourg. La mère et le fils partent pour l'Angleterre et Huene s'inscrit dans un collège du Surrey. Betty, l'autre sœur de Huene, s'installe en France.
A Saint-Pétersbourg, les grèves et les émeutes aboutissent inexorablement à la révolution.
Le tsar Nicolas II abdique.
Les bolcheviks consolident leur pouvoir.
La grande guerre civile commence avec les révoltes des cosaques du Don.

1918 Le père de Huene fuit l'Estonie. Helen s'échappe et rejoint la famille qui, maintenant, vit en France.
La Première Guerre mondiale se termine, mais les Russes blancs se battent avec les bolcheviks.
L'Angleterre envoie un corps expéditionnaire pour venir en aide aux blancs.
Exécution de la famille impériale russe.

1919 Huene quitte l'Angleterre pour la Russie du Sud comme interprète dans le corps expéditionnaire anglais. Il va à Batoum, Tsaritsyne, Ekaterinodar, Taganrog.
Les Russes blancs avancent sur Petrograd mais sont repoussés par l'armée des bolcheviks.

1920 Huene commence la nouvelle année à Novorossinsk. Il attrape le typhus et frôle la mort. Il est évacué à Londres. Il s'envole vers Paris. Va à Cannes pour rejoindre ses parents. Retourne brièvement en Estonie pour voir si on peut sauver quelque chose du domaine. Il revient à Paris.
Les blancs sont vaincus et évacués.

1921 Une série de petits métiers ; l'un l'envoie en Pologne

pour un court voyage. Il travaille comme figurant dans le cinéma.
Man Ray invente le « Rayogramme ».

1922 *L'Union des Républiques socialistes soviétiques est proclamée.*
Man Ray photographie dans les salons de Poiret.
On invente le Technicolor.

1923 Il travaille pour sa sœur Betty, à Yteb. Il dessine dans des ateliers puis suit les cours d'André Lhote.
De Meyer quitte Condé Nast pour Harper's Bazaar.
Vogue *engage Edward Steichen comme photographe en chef.*
Pavel Tchelitchev arrive à Paris.

1924 Huene travaille avec Man Ray à un carton de photos de mode, vendu plus tard à un grand magasin de Nouvelle-Angleterre.
La Revue nègre, avec Joséphine Baker, fait sensation à Paris.
André Breton lance son « Premier manifeste du surréalisme ».
Oscar Barnack invente le Leica.

1925 On publie des dessins de Huene dans *Fairchild's Magazine* et dans *Harper's Bazaar.* Il signe un contrat avec *Vogue* comme illustrateur et travaille comme assistant du photographe américain Arthur O'Neill.
L'exposition des Arts décoratifs ouvre à Paris.
Le Bauhaus s'installe à Dessau.
Le Cuirassé Potemkine *de Sergei Eisenstein.*
Chaplin dans La Ruée vers l'or.

1926 Ses premières photos de mode dans *Vogue.*
Premier film parlant.
Coco Chanel lance sa « petite robe noire ».

1927 Ses premières photos dans *Vanity Fair.*
Il produit plusieurs films d'amateur.

1928 Première exposition des photos de Huene au Premier Salon indépendant de la photographie, à Paris.
Elsa Schiaparelli commence sa carrière.

1929 Huene va à New York et à Hollywood pour la première fois. Il expose dans *Film und Foto,* à Stuttgart. Il dessine un mannequin pour *Vogue.*
Les robes chemises; Chanel « invente » les pantalons pour femmes.
Première exposition de Salvador Dali à Paris.
Marlène Dietrich vedette dans L'Ange bleu.
Martha Graham crée sa propre compagnie de danse moderne.

1930 Huene rencontre Horst P. Bohrmann (plus tard Horst P. Horst). Ils vont rendre visite à Cecil Beaton en Angleterre. Ils découvrent Hammamet, en Tunisie, le lieu de sa future maison de vacances.
La garçonne n'est plus à la mode.
Jean Cocteau dirige le tournage du film Le Sang d'un poète.
Christian Bérard dessine les décors pour la pièce de Cocteau La Voix humaine.
Walter Hege publie Die Akropolis.

1931 A Berlin pour son travail; puis à Londres, New York, Chicago, Hollywood et Hammamet où il décide de faire construire une maison de vacances pour Horst et lui. A Londres, il loue le studio du photographe Howard Coster. Il conçoit l'éclairage d'un nouveau night-club de Paris, le *Bricktop.*
Horst commence sa carrière chez Condé Nast.

1932 Sortie, en Allemagne, de *Hoyningen-Huene : Meisterbildnisse.* A Berlin pour son travail, il voit G.W. Pabst tourner *L'Atlantide* et décide d'en faire sa propre version. Construction de la maison d'Hammamet.
Première photo de couverture en couleurs de Vogue, *par Steichen.*
Le ballet Joos à Paris.
Rétrospective Picasso à Paris.

1933 Environ à cette époque, il tourne un film documentaire sur la mode pour *Vogue.*
Louise Dahl-Wolfe prend ses premières photos de mode.

1934 L'œuvre de Huene en est à son apogée. Schiaparelli et Beaton vont à Hammamet. Huene commande à Bérard le portrait de Horst. *Vanity Fair* envoie Huene à Hollywood.
Alix ouvre sa maison de couture.
Martin Munkacsi, qui travaille pour Harper's Bazaar, *introduit le « réalisme » dans la photo de mode.*

1935 Huene rompt avec Condé Nast à la suite d'une dispute au sujet de son contrat et se met, immédiatement, à travailler pour l'édition parisienne de *Harper's Bazaar.* Il va régulièrement pour son travail à New York. A partir de ce moment, il va souvent à Hammamet. Il fait la connaissance de George Cukor à peu près à ce moment.

1936 Il s'isole à Hammamet. Plus tard, il s'embarque dans une expédition en Afrique avec un groupe d'explorateurs amateurs. Il photographie des paysages et des indigènes. Il renconte André Gide.

1937 Publication de *African Mirage, the Record of a Journey.*
Steichen quitte Vogue *et abandonne la photo de mode.*

1938 Il passe de plus en plus de temps à New York. Il entreprend beaucoup de travail pour la publicité. Il va en Grèce pour la première fois et voyage en Asie du Sud-Est et en Australie.

1939 Second voyage en Grèce. Il reste au *Harper's Bazaar* pendant toute la guerre car il est trop âgé pour le service.
Première sortie du nylon; apparition des textiles synthétiques.

1940 Actif dans l'aide à la Grèce en guerre. Photos publiées dans *US Camera* et *Coronet.*

1942 Il travaille à son livre *Hellas* et expose pour apporter son aide au Greek War Relief Committee (Comité d'aide à la Grèce en guerre).
Des photos paraissent dans le magazine *Popular Photography.*
Des photos d'Irving Penn paraissent pour la première fois dans Vogue.

1946 Il quitte *Harper's Bazaar* et New York; il s'installe un temps au Mexique. Publication de *Mexican Heritage* et de *Baalbek/Palmyra.* Il se fait naturaliser américain. Entre 1946 et 1950, il tourne trois documentaires en Espagne, dont *The Garden of Hieronymus Bosch.*
Richard Avedon commence à travailler pour le Harper's Bazaar.
Mort du baron de Meyer.

1947 Encouragé par George Cukor, il s'installe en Californie. Il enseigne à l'Art Center School de Los Angeles.

Steichen devient directeur de la photographie au musée d'Art moderne de New York.
Christian Dior lance le « new look » à Paris.

1950 Il travaille un peu pour le magazine *Flair*. Il expose à la Mission des États-Unis, en Grèce. Il visite l'Égypte. Il publie dans l'*US Camera*.

1951 Il filme *Daphni : Virgin of the Golden Laurels*, en Grèce.

1954 Il commence à travailler comme conseiller pour la couleur et fait ses débuts avec le film de George Cukor, *A Star is Born* (Une étoile est née).
Coco Chanel fait sa rentrée dans l'industrie française de la mode.

1955 Il prend de la mescaline au cours d'une expérience contrôlée par Aldous Huxley.

1963 Il gagne le prix photographique de Photokina, à Cologne.

1965 Il participe à l'exposition groupée « Glamour Portraits » au musée d'Art moderne de New York. Il conçoit un projet de films de télévision sur la Révolution française et la vie de Napoléon Ier.
Rudi Gernreich, un ami de Huene, lance le maillot « une pièce ».

1967 Il participe au programme « Oral History » (Histoire orale) organisé par l'université de Californie, Los Angeles.
Il commence à travailler à ses mémoires avec le Dr Oreste Pucciani.

1968 Il meurt d'une crise cardiaque, chez lui, à Los Angeles.

1970 Exposition et catalogue par The Friends of the Libraries of the University of Southern California (Les Amis des bibliothèques de l'université de Californie du Sud), Los Angeles, à l'occasion d'un legs de livres rares de Huene. Hommages de Katharine Hepburn, George Cukor, Horst, Leo Lerman, Mainbocher, et d'autres.

1971 Photos de Huene publiées dans *Salute to the Thirties* (Salut aux années 30) de Horst, préfacé par Janet Flanner.

1980 Rétrospective et catalogue par le Centre international de la photographie de New York. L'exposition va à Londres, Paris, Minneapolis et Long Beach, en Californie.

NOTES DES ILLUSTRATIONS

Chaque note mentionne, lorsque c'est pertinent, le magazine qui a passé commande auprès du photographe (si on le sait) et l'endroit où la photo a été prise. La source de la reproduction est donnée dans chacun des cas. Les références, abrégées, à des livres correspondent aux éditions qui figurent dans la bibliographie.

Abréviations :
Horst = avec l'aimable autorisation de Horst P. Horst, New York (dont la collection des tirages originaux de Huene appartient maintenant à la Harvard Theatre Collection, Havard University, Cambridge, Mass).
Condé Nast = avec l'aimable autorisation de Condé Nast, Inc.

Les nombres en *italique* au début de chaque entrée se réfèrent aux pages ; les nombres en **gras** se réfèrent aux planches.

2 Vogue, 1930. Sous-titrée « Le style de cet été ». L'éditorial « Le Point de vue de *Vogue* » la commentait ainsi : « La mode nous rend délicieusement libre et confortable... notre sens de la pudeur s'est aimablement modifié en faveur du confort. »
6-11 Horst.

Chapitre 1 **Une éducation de gentilhomme**

12-15 Horst ; le portrait de Huene par Horst (p. 12) fut probablement pris vers 1934 mais ne fut pas publié avant 1952.
16 Musée du Louvre, Paris.
17 Vogue. Paris, 1932. Mlle Diplarakou, « miss Grèce », devint plus tard Lady Russell. Horst.
20 Horst.

Chapitre 2 **Une vie nouvelle à Paris**

22 Vogue. Paris, 1934. Horst.
24 André Lhote, *La Femme de l'artiste* (1923), gouache sur papier 39 × 29 cm. Collection du Museum of Modern Art, New York. Don de M. et Mme Sidney Elliot Cohn.
25-30 Horst.
31 Harper's Bazaar, New York, 1939. Dali « pris dans l'un de ses rêves », selon le commentaire du magazine, peignit cette toile alors qu'il séjournait chez Coco Chanel, à Monte-Carlo. Avec l'aimable autorisation de *Harper's Bazaar.*

32-34 Horst.
35 Avec l'aimable autorisation d'Henri Cartier-Bresson, Paris.
36 Vogue, Paris, 1927. Avec l'aimable autorisation de Holly et Horace Salomon, New York.
37 Collection de l'auteur. New York.
38 Avec l'aimable autorisation de Richard Tardiff, New York.
39-40 Horst.
41 Décoration tirée de *Vogue.* Paris, 1934. Horst.

Planches 1-47 : **Couture et classicisme**

1 *Vogue.* Paris, 1934. Une variante de cette photo, beaucoup plus coupée, fut choisie pour la publication. « Manteau d'intérieur de Lanvin, en lamé d'argent avec d'énormes manches de rayures argent et mousseline de soie, sur une robe de crêpe blanc finement froncée au col et à la taille... La robe d'intérieur que l'on voit à côté est... une redingote de mousseline d'un rouge bourgogne somptueux, portée sur une combinaison en satin brillant de couleur blanche. » Horst.
2 *Vogue.* Paris, 1932. La robe s'appelait « Bagdad » ; les bijoux étaient de Boucheron. Lee Miller, l'un des mannequins favoris de Huene, devint un photographe distingué. Voir aussi les planches 43 et 57 et les pages 103 et 104. Avec l'aimable autorisation de Lee Miller.
3 *Vogue.* Paris, 1930. Sous-titrée « Le Point de vue de *Vogue* », elle servit d'illustration générale à un éditorial, sans information plus précise. « C'est une question de personnalité, dit-il. C'est une mode très individuelle et la femme qui ne se connaît pas bien elle-même est perdue... » Photo composite. Condé Nast.
4 *Vogue.* Paris, 1932. Horst.
5 Une colonne du portique nord et l'angle nord-est de l'Erechthéion. Publiée dans *Hellas,* 1943. Avec l'aimable autorisation du Centre international de la photographie, New York.
6 *Harper's Bazaar.* New York, 1940. Nana Gollner devint danseuse étoile de la compagnie des Ballets russes en 1941. Avec l'aimable autorisation de Photocollect, New York.
7 *Harper's Bazaar.* New York, 1940. « Une mèche blonde dans les cheveux – comme une flèche errante de lumière, elle frappe les jeunes filles élégantes du Maine au Texas... pour cette touche ensorceleuse de soleil. » Avec l'aimable autorisation de Catherine Negroponte, Londres.
8 *Harper's Bazaar.* Paris, 1936. Horst.
9 *Harper's Bazaar.* New York, 1938. Une variante de cette photo fut choisie pour la publication. Pour d'autres photos de Lisa Fonssagrives (qui devint Lisa Fonssagrives-Penn), voir page 183. Avec l'aimable autorisation de Lisa Fonssagrives-Penn. New York.
10 *Vogue.* Paris, 1928. Le sujet, un autre mannequin favori de Huene, était aussi photographe. Voir aussi les planches 53, 54 et 89, ainsi que la page 105. Avec l'aimable autorisation de John C. Waddell, New York.
11 *Vogue.* Paris, 1934. Bijoux de Boucheron. Une variante de cette photo a été publiée. Pour d'autres études de miss Koopman, voir les planches 1, 17 et 26. Horst.
12 Une variante de cette photo a été publiée dans *Hellas,* 1943. C'est une vue des colonnes du péristyle sud, prise de l'intérieur. Avec l'aimable autorisation du Centre international de la photographie, New York.
13 *Vogue.* Paris, 1934. Horst.
14 *Vogue.* Paris, 1934. Jean-Pierre Aumont se gagna une réputation internationale l'année où cette photo fut prise, en tenant la vedette dans la première mise en scène de *La Machine infernale.* Horst.
15 *Vogue.* Paris, 1934. Bijoux de Herz ; coiffure d'Émile. Condé Nast.
16 Une variante de cette photo fut publiée dans *Hellas,* 1943. Avec l'aimable autorisation du Centre international de la photographie, New York.
17 *Vogue.* Paris, 1934. Voir aussi page suivante. Horst.
18 *Vogue.* Paris, 1931. « Bas-relief » de Vionnet : « On se demande comment Vionnet a pu couper des pyjamas si parfaitement proportionnés. Comment une jeune femme du XXe siècle peut incarner autant de splendeur typiquement grecque et surtout comment le photographe a disposé tout cela afin de nous donner, une fois de plus, avec des moyens nouveaux, cette symétrie, cet équilibre, cet air de vol refréné et cette même magnifique masse de draperie... La photographie est l'art le plus nouveau ; le pyjama, le fourreau le plus moderne de la forme féminine. » Avec l'aimable autorisation de F.C. Gundlach, Hambourg.
19 Publiée dans *Hellas,* 1943. Avec l'aimable autorisation du Centre International de la photographie, New York.
20 *Harper's Bazaar.* New York, 1943. A cette époque, Paxinou travaillait à New York

Toto Koopman, robe du soir de Vionnet, 1934. Variante de la planche 11.

Toto Koopman, robe du soir de Augustabernard, 1934. Variante de la planche 17.

Costumes de bain de Patou, Molyneux et Yrande, 1930. Variante de la planche 51.

---

où elle jouait Hedda Gabler à Broadway (1942) et à Hollywood : *For whom the Bell Tolls* (Pour qui sonne le glas) de Sam Wood, 1942. Horst.
21 *Vogue.* Paris, 1934. Horst.
22 *Vogue.* Paris, 1934. Bijoux de Mauboussin. « Les décolletés de Jeanne Lanvin s'échancrent de plus en plus bas – celui de cette robe de satin bleu de mer se creuse, sur le devant, pour former un V profond... » Horst.
23 *Vogue.* Paris, 1934. « Schiaparelli, par cette robe de lamé blanc, nouée d'une cordelière, dont l'ampleur est massée dans le dos, nous donne son idée de ce que devrait être une robe moderne. » Horst.
24 *Vogue.* Paris, 1934. « Ce grand manteau du soir paraît être fait en cuir repoussé, comme celui qui fit la gloire de Cordoue. En réalité, c'est un satin ciré noir et or, bosselé et écrasé, dont Alix a l'exclusivité. » Horst.
25 *Harper's Bazaar.* New York, 1935. Horst.
26 *Vogue.* Paris, 1933.
27 *Vogue.* Paris, 1934. Horst.
28 *Vogue.* Paris, 1933. « Le fin profil de Mme Eloui Bey se détache sur le fond sombre d'un vaste chapeau de velours noir, de Suzy, orné d'autruche. » Horst.
29 Prise à New York, vers 1940, probablement pour *Harper's Bazaar.* Avec l'aimable autorisation de Photocollect, New York.
30 *Vogue.* Paris, 1931. Pour un autre portrait de Nathalie Paley, voir page 34. Horst.
31 *Vogue.* Paris, 1929. Des gants d'Alexandrine. « Le chamois jaune utilisé... pour le chapeau... et la ceinture semble d'autant plus chic si les gants sont, comme ceux d'Alexandrine, en chamois jaune à couture noire. » Condé Nast.
32 *Vogue.* Paris, 1927. Horst.
33 *Vogue.* Berlin, vers 1930. Horst.
34 *Vogue.* Paris, 1931, Horst.
35 *Vogue.* Paris, 1930. Ensemble « Miramar » : « Le gros-grain est un matériau doux et souple pour un chapeau de sport. Alphonsine l'a combiné, en rouge et blanc, pour cette coiffure dont les deux cornes dégagent le visage... » Condé Nast.
36 *Vogue.* Paris, 1931. Tricorne « Cocktail » : « Le nouveau mouvement sur-l'œil-droit, derrière-l'oreille-gauche, en panama noir. Les camélias d'organdi rose remplissent l'espace dégagé à la base de la tête, équilibrant ainsi l'inclinaison et adoucissant l'aspérité du bord qui est brusquement rabattu et se dresse en une pointe exagérée au-dessus de l'œil droit. » Condé Nast.
37 *Vogue.* Paris, 1932. Chapeau de Rose Descat. Horst.
38 *Vogue.* Paris, 1929. Chapeau « Estudiantina ». « Le béret est en ganse de chanvre noir sur une bande de gros-grain bleu turquoise... Un foulard de galiak noir accompagne la robe de crêpe de Chine noir. » Horst.
39 *Vogue.* Paris, vers 1932. Horst.
40 *Vogue.* Paris, vers 1932. Horst.
41 *Harper's Bazaar.* Paris, 1935. Horst.
42 *Harper's Bazaar.* Bijoux de Cartier; miroir de Serge Roch. Horst.
43 *Vogue.* Paris, 1930. Avec l'aimable autorisation de Lee Miller Archives.
44 *Vogue.* Paris, 1931. Horst.
45 Une photo prise à Paris en 1929, au moment où Anna May Wong travaillait en Europe, à la fois en faisant des conférences et en tournant des premiers rôles dans plusieurs films anglais et américains. Horst.
46 Non publiée. Horst.
47 *Vogue.* Paris, 1934. « Prise à Hollywood... Si l'on propose comme modèles, aux grands couturiers d'Hollywood, des beautés aussi obsédantes que ces deux actrices (Ames et Carole Lombard), ils tirent de cette matière et de ces lignes des illustrations de la grâce éternelle... Howard Greer a créé, pour Adrienne Ames, une simple robe grecque de mousseline blanche avec une pèlerine d'autruche blanche (les plumes sont toujours très à la mode, surtout à Paris). » Horst.

Chapitre 3 : **Les prémices d'un style**.

92 Vogue. New York, 1920. Condé Nast.
93 Vogue. New York, 1941. Horst.
94-95 Vanity Fair. Paris, 1933. Commentaire du magazine : « Huene a imité avec brio la composition majestueuse de D.O. Hill, le pathos dénaturé de Meyer, le chaos fleuri de Beaton, la simplicité magistrale de Steichen, les dissolutions de Man Ray, et la détermination de Lerski... La dame est-elle la même lorsqu'elle est photographiée suivant ces différentes techniques? Est-ce que le style du photographe masque la personnalité du modèle? La photographie est-elle un art? »
96-97 Condé Nast.

Chapitre 4 : **Les caractéristiques d'un style**

100 Vogue. Londres, 1934. Horst.

Baron de Meyer, 1932. Variante de la planche 91.

Jean Barry, 1931. Variante de la planche 111.

Gary Cooper, 1934. Variante de la planche 126.

---

101 Ci-dessus : Vogue, Paris, 1934; *ci-dessous : Vogue,* Paris (détails). Horst (pour les deux).
103 Horst.
104 Avec l'aimable autorisation de Lee Miller Archives.
105 Horst (les deux).
106 Pablo Picasso. *Baigneuse assise* (début 1930), peinture à l'huile de chevalet 163 × 129 cm, collection du musée d'Art moderne de New York. Fonds de Mme Simon Guggenheim.
107 Horst.
109 Décoration tirée de *Vogue.* Paris, 1934. Horst.

Planches 48-67 : **Lumière du soleil et tenues de sport.**

48 *Vogue* et *Vanity Fair.* Londres, 1931. « Voici quelques célèbres danseuses qui ont diverti New York cet été. » Jean Barry était une artiste de cabaret fort appréciée. Voir aussi planche 111. Condé Nast.
49 *Vogue.* Paris, 1928. Titrée « Équilibre des proportions ». « Jean Patou. Ce deux-pièces à ceinture mobile est rayé de bordeaux, mauve et blanc, culotte de jersey bordeaux. » Condé Nast.
50 *Vogue.* Paris, 1929. « Lunaire » de Lanvin. Condé Nast.
51 *Vogue.* Paris, 1930. « Costumes de bain féminins : Molyneux (ci-dessus), Patou (en bas à gauche, présenté par Simone Demaria), Yrande (en bas à droite); costumes de bain pour hommes de Jantzen.» « Au centre de ce groupe qui se dore nonchalamment au soleil, le très chic costume deux pièces de Jean Patou en jersey noir épais... Le costume de bain une pièce de Molyneux, en épais jersey beige incrusté de bandes de jersey blanc, est élégant et pratique pour la nage. »
Photographiés dans le studio de *Vogue;* une variante fut choisie pour la publication (voir page 50). Horst.
52 *Vogue.* Paris, 1930. « Nouveau pyjama de plage en épais jersey noir simulant le tricot. Des côtes l'ajustent à la taille au-dessous de laquelle tombe le pantalon ample. » « Les sandales de crêpe blanc de Schiaparelli donnent la note exacte. » Condé Nast.
53 *Vogue.* Paris, vers 1930. Horst.
54 *Vogue.* Paris, 1931. « Le n° 800, avec les sandales de crêpe... est le modèle le plus élégant des sept mers. Il vous moule comme un gant. »
55 *Vogue.* Paris, 1933. Le mannequin homme est probablement Horst; le mannequin femme est non identifié. Horst.
56 *Vogue.* Paris, environ 1930. Avec l'aimable autorisation de John C. Waddell, New York.
57 Le but de cette photo n'est pas très clair; Lee Miller servait souvent de modèle à Huene à cette époque, mais ce n'est probablement pas une photo de mode. Avec l'aimable autorisation de Lee Miller Archives.
58 *Vogue.* Paris, 1931. Horst servait souvent de mannequin à Huene à cette époque; voir aussi les planches 55 et 66. Horst.
59 *Vogue.* Paris, environ 1930. Horst.
60 *Vogue.* Paris, 1929. « Ondine » de Lelong. « Rouge, marine et blanc s'harmonisent à merveille; costume rouge et marine, ceinturé, rayures et bonnet blancs. » Horst.
61 *Vogue.* Paris, 1928. Titrée « Le pyjama en une pièce ». « Pour flâner sur la plage, ce pyjama de Chantal dont la partie supérieure est en jersey blanc et les pantalons noirs, avec incrustations bourgogne et mauve aux hanches. Sandales en panama et cuir, de Ducerf-Scavini. » Voir note sur la planche 62. Condé Nast.
62 *Vogue.* Paris, 1928. Titrée « Le blanc et le noir ». « Schiaparelli assortit les chaussettes tricotées à grosses côtes au sweater tricoté de raies noires et blanches et ferme les culottes de flanelle noires par quatre boutons de nacre. » Les planches 61 et 62 ont été publiées sur des pages adjacentes et cadrées comme ci-dessus. On peut voir une reproduction de la planche 62, intacte, dans le catalogue de l'exposition *Eye for Elegance : George Hoyningen-Huene,* page 8. Condé Nast.
63 *Vogue.* Paris, 1934. « Mireille » de Maggy Rouff. Condé Nast.
64 *Vogue.* Californie, 1934. Voir aussi la page 141. La photo a paru, en couleurs, sur la couverture du numéro du 15 décembre 1934 de l'édition américaine de *Vogue.* Ce tirage monochrome fut probablement fait à partir du négatif couleurs Kodachrome. Condé Nast.
65 *Vogue.* Photographie prise sur la côte d'Azur, 1932. Horst.
66 *Vogue.* Paris, 1930. « Costume de bain deux pièces d'Izod... dont le haut est en laine d'alpaga rouge et blanche tricotée machine. » Le mannequin homme est Horst. Le mannequin femme n'est pas identifié. Condé Nast.

67 *Harper's Bazaar.* New York, 1935. Horst.

Chapitre 5 : **De nouveaux horizons**

131 Avec l'aimable autorisation de Sotheby's, New York.
133 Avec l'aimable autorisation de Yvonne Halsman, New York.
134-135 Horst.
137 Avec l'aimable autorisation du Centre international de la photographie, New York.
138 Collection de l'auteur, New York.
139 Copyright Max G. Scheler, Munich.
140 Collection de l'auteur, New York.
141 Condé Nast.
142 Avec l'aimable autorisation de *Harper's Bazaar,* New York.
143 Condé Nast.
144 Couverture de *Vogue :* Condé Nast; couverture du *Harper's Bazaar :* avec l'aimable autorisation du *Harper's Bazaar,* New York.
145 Collection de l'auteur, New York.

Chapitre 6 : **Les bonnes années**

148 Horst.
149 Avec l'aimable autorisation de George Hurrell, Los Angeles.
150 Horst.
151 Avec l'aimable autorisation de François Meyer, Paris.
153 Décoration tirée de *Vogue.* Paris, 1934. Horst.

Planches 68-89 : **Voyages et expériences**

68 *Vogue.* Paris, 1934. Condé Nast.
69 *Vogue.* Paris, 1931. Le mannequin, c'était Thérèse Dorny. Horst.
70 *Vogue.* Paris, 1934. Horst.
71 *Vogue.* Paris, vers 1931. Horst.
72 *Vogue.* Paris, 1933. Voir aussi la planche 79. Horst.
73 *Harper's Bazaar.* Paris, 1938. Horst.
74 Horst.
75 Horst.
76 *Vogue.* Paris, 1928. « La comtesse Max de Pourtalès, la baronne Mallet et la baronne Jean de Nervo, enveloppées dans les voiles de mousseline jaune et orange des femmes musulmanes, ont assisté au bal donné par Mme Jean Schneider et la baronne de Guerre. » Condé Nast.
77 Publiée dans *African Mirage,* 1938. Horst.
78 *Harper's Bazaar.* New York, 1936. Bijoux de Udall et Ballou. « Le tissu provient de chez Bianchini et il y en a des mètres et des mètres... la coiffure est de Charles Bock. » Horst.
79 *Vogue.* Paris, vers 1933. Mannequin non identifié. Horst.
80 Publiée dans *African Mirage,* 1938. Horst.
81 *Harper's Bazaar.* Paris, 1936. Horst.
82 Publiée dans *African Mirage,* 1938. Les pieds du jeune homme sont visibles dans le tirage original; cette reproduction correspond au cadrage choisi par Huene pour *African Mirage.* Horst.
83 *Harper's Bazaar.* New York, vers 1935. Avec l'aimable autorisation du musée international de la Photographie à George Eastman House, Rochester, New York.
84 Publiée dans *African Mirage,* 1938. Horst.
85 *Vogue.* Paris, 1933. Mannequin non identifié. Horst.
86 Publiée dans *African Mirage,* 1938. Horst.
87 Publiée dans *Egypt,* 1943. Horst.
88 Prise pour Condé Nast mais non publiée. Publiée pour la première fois dans *Photographie,* n° 16, 1930.
89 *Vogue.* Paris, 1931. « Les gants du soir se portent courts. » Horst.

Chapitre 7 : **« Notre maître à tous »**

178 Horst.
179 Avec l'aimable autorisation de Louise Dahl-Wolfe et de la Staley-Wise Gallery, New York.
180-181 En haut : Copyright 1950 et 1953 de Richard Avedon, Inc. Tous droits réservés. *En bas : Vogue.* New York, 1933. Condé Nast.
182 Harper's Bazaar. New York, 1939. « Sur sa petite tête bien faite, il y a une aigrette noire et brillante, que l'on pourrait prendre pour le casque d'un guerrier grec. » Avec l'aimable autorisation de *Harper's Bazaar.* New York.
183 A droite : avec l'aimable autorisation de Irving Penn, New York; *à gauche : Harper's Bazaar.* New York, 1937. Horst.
184 Avec l'aimable autorisation de Irving Penn, New York.
185 Harper's Bazaar. New York, 1945. Avec l'aimable autorisation de *Harper's Bazaar.* New York.
187 Décoration tirée de *Vogue.* Paris, 1934. Horst.

Planches 90-135 : **Amis et connaissances**

90 Paris, 1929. Pour d'autres études de cette célèbre beauté de la haute société, d'origine circassienne (son mari, Aziz Eloui Bey, la quitta pour Lee Miller), voir planches 28 et 42. Horst.
91 Paris, 1932. *Vogue* a choisi, pour la publication, une autre prise de vue de cette séance de pose (voir page 241). Horst.
92 La Marchesa était une figure extravagante de la haute société d'avant-guerre, en France et en Italie. Huene la montre allongée entre deux de ses propres sculptures. Horst.
93 *Vanity Fair.* Photo prise à Berlin, où il était la vedette d'une comédie, *Liselott.* Condé Nast.
94 *Vogue.* Paris, 1930, l'année où Cocteau tourna *Le Sang d'un poète.* Horst.
95 Paris, vers 1930. Mme Bousquet était une hôtesse bien connue qui attirait beaucoup d'artistes dans son salon parisien. Horst.
96 *Vanity Fair.* Paris, 1927. Horst.
97 *Vanity Fair.* Paris, 1934. Soulima, né en 1910, était le plus jeune fils de Stravinski. Horst.
98 *Vogue.* Paris, 1930. Janet Flanner était le correspondant à Paris du *New Yorker.* Horst.
99 *Vogue.* Paris, 1930. Condé Nast.
100 *Harper's Bazaar.* Paris, 1939. « Chanel pose pour nous dans un tailleur du soir de velours noir, d'après Watteau. » Le résultat d'une première séance de pose de Chanel pour Huene fut publié dans le numéro de juin 1931 de *Vanity Fair.* Horst.
101 *Vanity Fair.* La piscine Molitor, à Paris, 1930. Lorsque Huene prit cette photo, Weissmuller était célèbre pour avoir gagné une médaille d'or de natation aux jeux Olympiques; il ne commença à jouer Tarzan qu'en 1932.
102 Horst.
103 *Vanity Fair.* Paris, 1930. Le sculpteur est photographié avec son « cirque ». Condé Nast.
104 Los Angeles, vers 1934. Capra était à l'apogée de sa carrière lorsque Huene prit cette photo : en 1934 il avait gagné son premier Oscar de mise en scène pour *It Happened One Night* (New York-Miami). Horst.
105 *Vogue.* Paris, 1932. Les costumes et les décors du ballet en un acte, *Cotillon,* étaient de Bérard; il fut dansé pour la première fois le 21 avril 1932 à Monte-Carlo. Horst.
106 *Vogue.* Paris, 1927. *La Chatte,* inspiré d'une fable d'Esope, fit sensation à cause de son décor constructiviste de Naum Gabo et Antoine Pevsner. Le chorégraphe était Balanchine. Horst.
107 *Vogue.* Paris, 1931. Lifar fit, lui-même, la chorégraphie de *Bacchus et Ariane;* les décors étaient de Chirico. Horst.
108 *Vogue.* Paris, 1933. Zeilinger, un illustrateur de *Vogue* des années 30 appliqua de la gouache blanche sur le tirage original. Horst.
109 Le J. Paul Getty Museum, Los Angeles.
110 *Vogue.* Paris, 1930. Horst.
111 *Vogue* et *Vanity Fair.* Londres, 1931. Voir aussi la page 241. Horst.
112 *Vogue* et *Vanity Fair.* Paris, 1929. Huene photographia plusieurs fois Josephine Baker mais aucune des images qu'il prit d'elle, en mouvement, ne sont parvenues jusqu'à nous. Horst.
113 *Vanity Fair.* Paris, 1927. « La vedette du music-hall français qui va bientôt débuter en Amérique... Chevalier a épousé Yvonne Vallée (ci-dessus) qui était une actrice et devint sa partenaire dans ses revues... » Condé Nast.
114 *Vogue.* Paris, 1933. Antoine, le célèbre coiffeur, est bien connu pour ses expériences de teintures qui n'ont rien de naturel, sa coupe à la garçonne et la longue mèche de Greta. Lorsque Huene le photographia, il faisait la navette entre Paris et New York où il dirigeait un salon de beauté. Horst.

115 *Vogue.* Paris, 1927. Koval était une chanteuse de cabaret parisienne appréciée. Horst.
116 *Vanity Fair.* Paris, 1929. « Le jeune chef d'orchestre de jazz est vite devenu une idole », commentait *Vanity Fair* dans le sous-titre accompagnant le portrait, par Huene, du célèbre saxophoniste, chanteur et acteur de cinéma. Horst.
117 *Vanity Fair.* Los Angeles, 1934. Huene photographia Lubitsch l'année où il tourna *The Merry Widow* (La Veuve joyeuse). Horst.
118 Paris, 1933. Lenya émigra aux États-Unis, avec son mari Kurt Weill en 1935 (voir la planche 124); après la mort de ce dernier, en 1950, elle épousa un ami de Huene, l'écrivain américain, George Davis. Horst.
119 *Vogue.* Londres, 1930. Horst.
120 *Vogue.* Paris, 1932. G.W. Pabst tourna deux versions de *L'Atlandide,* une en français et l'autre en allemand. Horst.
121 *Vanity Fair.* Los Angeles, 1934. Cromwell joua des rôles de jeunes premiers et bien d'autres dans de nombreux films, dont le plus connu est *The Lives of a Bengal Lancer* (Les Trois Lanciers du Bengale), Henry Hathaway, 1935. Horst.
122 *Vanity Fair.* Burbank, Californie, 1934. Horst.
123 *Vogue.* Paris, 1928. Horst.
124 *Vogue.* Paris, 1933. Horst.
125 *Harper's Bazaar.* New York, 1942. Mrs. Palmer Thayer Beaudette était une dame de la haute société. Avec l'aimable autorisation de Otto Fenn.
126 *Vanity Fair.* Los Angeles, 1934. Voir aussi la page 241. Avec l'aimable autorisation de John C. Waddell, New York.
127 *Vogue.* Saint-Moritz, 1932. Horst.
128 *Vogue.* Paris, vers 1933. Avec autorisation de Dominique Nabokoff. New York.
129 *Harper's Bazaar.* Londres, 1937. Horst.
130 *Harper's Bazaar.* Londres, 1937. Horst.
131 *Vogue.* Paris, 1932. Avec l'aimable autorisation de Dominique Nabokoff, New York.
132 *Vogue.* Paris, vers 1932. Avec l'aimable autorisation de Dominique Nabokoff, New York.
133 *Vanity Fair.* Los Angeles, 1934. Condé Nast.
134 *Vanity Fair.* Los Angeles, 1934. Horst.
135 *Harper's Bazaar.* New York, 1945. Horst.

240 *A gauche et au milieu :* Horst; *à droite :* Condé Nast.
241 *A gauche :* Condé Nast; *au milieu :* Horst; *à droite :* avec l'aimable autorisation de Geoffrey Banks, New York.

NOTES DU TEXTE

Chapitre 1 : **Une éducation de gentihomme**
(pages 13-21)

1. Extraits de notes qui font partie des Mémoires inédits de Huene (rédigés vers 1967). Les notes et les Mémoires ont été en partie publiés par le Dr Oreste Pucciani et restent sa propriété. Comme la pagination est irrégulière et incomplète, nous ne pouvons donner de références spécifiques. Le texte est cité ici sous la rubrique « Mémoires ».
2. Mémoires.
3. Lothrop, *The Court of Alexander III,* p. 159.
4. Mémoires.
5. *George Hoyningen-Huene, Photographer,* complété sous les auspices du programme *Oral History,* Université de Californie, Los Angeles, 1967, p. 2. Cité ici comme *Oral History.*
6. *Ibid.,* p. 1.
7. Mémoires.
8. *Ibid.*
9. *Ibid.*
10. *Ibid.* et *Oral History,* p. 2.
11. Conservateur du département bijoux, célèbre érudit, dont le personnel de l'Ermitage pense encore beaucoup de bien aujourd'hui.
12. Mémoires.
13. Huene ne cite aucun écrivain russe; s'agissant de l'âge d'or de la littérature russe, il paraît étrange de ne pas trouver les noms de Tolstoï ou Dostoïevski. Si, pour une raison quelconque, sa famille ne l'avait pas poussé à aimer la littérature russe, pourquoi sa gouvernante ou ses précepteurs auraient-ils fait de même? Les idées de Nabokov sur ce sujet nous ont éclairé : pour la noblesse, les écrivains russes manquaient de patriotisme car ils exposaient les failles du tissu social; pour les socialistes idéalistes, ils n'étaient pas allés assez loin : leurs écrits faisaient allusion à des traits humains, universels et immuables qu'aucun ordre social ne pourrait effacer. Dans la Russie d'alors, ces classiques aujourd'hui indiscutés étaient maudits, aussi bien par la droite que par la gauche (attitude renforcée par un profond sentiment d'infériorité vis-à-vis de la culture occidentale).
14. Mémoires.
15. *Ibid.*
16. Vladimir Nabokov, *Littératures* I,II,III, Fayard, 1983, 1985.
17. Mémoires.
18. Les maisons rurales modèles du baron n'ont pas suffi à le protéger du courroux des paysans. Comme Adam Ulam l'explique : « Souvent, les paysans s'introduisaient dans la demeure du seigneur et déclaraient qu'ils n'avaient rien, personnellement, contre eux, mais qu'ils allaient s'emparer de leurs terres d'une manière ou d'une autre. Souvent, aussi, ils tuaient les nobles et brûlaient leurs demeures » (Adam Ulam, *The Bolsheviks,* Collier Press, New York, 1968, p. 234).
19. « Un jour, la nouvelle arriva que le tsar avait abdiqué. Quelques mois avant, des amis à nous, que nous connaissions très bien, avaient conspiré pour assassiner Raspoutine, le déshonneur de la Russie, et sauver ainsi la monarchie. Mais il était trop tard. Mon père critiqua toujours le prince (Felix) Youssopov et dit que, bien que ce soit une très bonne chose qu'il ait liquidé le moine charlatan, son acte était dans la tradition des Borgia, qui invitaient leurs ennemis pour les empoisonner » (*Oral History,* p. 5).
20. « L'émeute et les combats de rue furent un facteur décisif, mais il en était de même, maintenant, avec la ferme hostilité des classes moyennes et supérieures, y compris beaucoup de chefs militaires... La nouvelle de la chute du gouvernement fut accueillie non seulement par des démonstrations nationalistes, mais aussi avec allégresse. Maintenant, la Russie pouvait légitimement prendre sa place parmi les nations qui combattaient pour la liberté. » (Ulam, *op. cit.,* note 19, p. 318).
21. Mémoires.
22. *Oral History,* p. 7.
23. La fiche de Huene, au musée d'Art moderne de New York, a enregistré une inscription à l'université St. Andrews, en Écosse. Cependant, cette université n'en a gardé aucune trace dans ses fichiers.
24. *Oral History,* p. 9.
25. Journal possédé par l'héritier de George Cukor, Los Angeles.
26. *Oral History,* p. 11.

Chapitre 2 : **Une vie nouvelle à Paris**
(pages 23-40)

1. Mémoires.
2. *Ibid.*
3. *Ibid.*
4. *Oral History,* pp. 12 et 13.
5. Mémoires.
6. *Ibid.*
7. *Ibid.*
8. Lawford, *Horst,* p. 34.
9. Il travailla d'abord pour Arthur O'Neill.
10. Mémoires.
11. *Ibid.*
12. *Ibid.*
13. Leo Lerman, « The Self Education of George Huene », dans Pucciani, *Hoyningen-Huene,* p. 10.
14. Mémoires.

15. Lincoln Kirstein, « Pavel Tchelitchev, An Unfashionable Painter », in *Show,* mars 1964, p. 22.
16. *Ibid.*
17. On trouvera dans *Horst* de Lawford un exposé détaillé du début de la carrière de Horst et de ses relations avec Huene, pp. 22-65.
18. Au cours d'un entretien avec l'auteur, 1982.
19. Condé Nast, Inc., n'a pas de trace, dans ses archives, d'un film de ce type pour *Vogue,* mais on en a longuement parlé dans un article de ce magazine, du 15 novembre 1933, pp. 44-47.
20. Bricktop (et James Haskins), *Bricktop,* Atheneum Press, New York, 1983, p. 158.
21. Janet Flanner (Genêt), *Paris was Yesterday,* Viking Press, New York, 1983, p. 158.
22. A un certain moment, les deux photographes signaient conjointement une photo d'un mannequin portant un modèle; il est probable que l'un dessinait le mannequin pendant que l'autre prenait la photo. Dans le numéro de novembre 1929 de *Vogue,* on accrédite ce fait : « Ces jeunes femmes ont été interprétées par Siegel et Stockmann à Paris comme le firent les collaborateurs de *Vogue,* le baron Hoyningen-Huene, Jean d'Abetze... »
23. Hollander, *Seeing Through Clothes,* pp. 335-336.
24. James Lavers, *A Concise History of Costume and Fashion,* Thames and Hudson, Londres, 1982, p. 224.
25. Roland Barthes, *Le Système de la mode,* Le Seuil, collec. Points, 1967, p. 19.
26. Seebohm, *The Man Who Was Vogue,* p. 187.
27. James Laver, *Women's Dress in the Jazz Age,* Hamish Hamilton, Londres, 1964, p. 16.
28. Frenzel, *Hoyningen-Huene : Meisterbildnisse,* introduction.
29. Mémoires.
30. Elizabeth Ewing, *History of Twentieth Century Fashion,* B.T. Batsford, Londres, 1974, pp. 11-101.
31. Mémoires.

Chapitre 3 : **Les prémices d'un style**
(pages 91-98)
1. Voir Hall-Duncan, *The History of Fashion Photography,* pp. 14-32.
2. Philippe Jullian (éd. Robert Brandan), *De Meyer,* Alfred Knopf, New York, et Thames and Hudson, Londres, 1976, p. 26.
3. *Ibid.,* p. 161.
4. *Ibid.,* p. 14.
5. *Ibid,* p. 40.
6. Mémoires.
7. *Ibid.*
8. *Ibid.*
9. *Ibid.*
10. Edward Steichen, « Un photographe de mode », *Vogue,* 12 octobre 1929, p. 99.
11. William Packer, *Fashion Drawing in Vogue,* Thames and Hudson, Londres, 1983.
12. Mémoires.
13. *Ibid.*
14. *Ibid.*

Chapitre 4 : **Les caractéristiques d'un style**
(pages 99-108)
1. K.J. Sembach, *Into the Thirties : Style and Design 1927-1934,* Thames and Hudson, Londres, 1972 (publié aux États-Unis sous le titre *Style 1930,* Universe Books, New York, 1972), p. 13.
2. Mémoires.
3. Entretien avec l'auteur, 1981.
4. Seebohm, *The Man Who Was Vogue,* p. 204.
5. Mémoires.
6. Devlin, *Vogue Book of Fashion Photography,* p. 118.
7. Mémoires.
8. Mémoires.
9. Cité dans Massimo Carrà, *Metaphysical Art,* Praeger, New York et Washington, et Thames and Hudson, Londres, 1971, p. 21. Dans la photo 66, la ligne d'horizon divise réellement l'espace de l'image en deux parties, renforçant ainsi la dualité essentielle du sujet – ciel, mer; mâle, femelle.
10. Ici, je suis essentiellement la formulation de Brunilde Sismondo Ridgway, *Fifth Century Styles in Greek Sculpture,* Princeton University Press, New Jersey, 1981, pp. 12-13.
11. Pucciani, *Hoyningen-Huene,* pp. 3-4.

Chapitre 5 : **De nouveaux horizons**
(pages 131-146)
1. A New York, en 1929, il loua le studio de Charles Scheeler.
2. Lawford, *Horst,* p. 97.
3. *Ibid.,* p. 112.
4. *Ibid.,* p. 112.
5. *Ibid.,* p. 89.
6. Huene, *African Mirage,* préface.
7. *Ibid.,* p. 5.
8. *Ibid.,* p. 14.
9. *Ibid.,* p. 12.
10. *Ibid.,* p. 46.
11. *Ibid.,* préface.
12. *Ibid.,* p. 17.
13. *Ibid.,* pp. 66-67.
14. *ibid.,* p. 57.
15. *Ibid.,* p. 110.
16. André Gide, *Voyage au Congo,* 1927.
17. Mémoires.
18. Il réussit à mettre son travail au service de la cause grecque : il fit poser un mannequin sur fond de sacs de blé emmagasinés dans les entrepôts du Comité d'aide à la Grèce en guerre, avec bien en vue le nom de cet organisme sur des étiquettes colorées.
19. *Oral History,* p. 34.
20. Huene, *Hellas,* p. 12.
21. *Ibid.,* p. 18.
22. Huene, *Mexican Heritage,* p. 9.
23. Huene, *African Mirage,* p. 27.

Chapitre 6 : **Les bonnes années**
(pages 147-152)
1. *Oral History,* p. 41.
2. *Ibid.,* p. 37.
3. Mémoires.
4. *Oral History,* pp. 36-37.
5. « The Fall and Rise Star » dans le *Times,* Londres, 7 décembre 1983, p. 12.
6. *Oral History,* p. 20.
7. Mémoires.
8. Lettre possédée par l'héritier de George Cukor, Los Angeles.
9. Lawford, *Horst,* p. 370.

Chapitre 7 : **« Notre maître à tous »**
(pages 177-186)
1. Huene n'avait prévu d'inclure aucune de ses photos des années 20, ce qui montre qu'il ne les jugeait pas assez élaborées.
2. Hall-Duncan, *Fashion,* p. 64.
3. Fernand Fonssagrives, dans un entretien avec l'auteur, se souvint que ce qu'on appelait « les femmes de Huene » avait exercé une influence sur le domaine tout entier.
4. Septembre 1938, pp. 110-111.
5. Octobre 1938, pp. 104-105.
6. « Black », *Vogue,* 1er novembre 1935, pp. 68-69. Reproduite dans Hall-Duncan, *Fashion,* p. 52.
7. En apprenant, en 1965, que Huene avait décidé d'écrire son autobiographie, Steichen lui écrit : « Étant donné les riches expériences que vous avez menées dans des directions si nombreuses, j'attends avec une grande impatience de pouvoir lire votre ouvrage. » (Lettre à Huene, le 8 janvier 1965, maintenant dans la collection du Dr Oreste Pucciani, Los Angeles.)
8. Louise Dahl-Wolfe, au cours d'un entretien avec l'auteur.
9. Louise Dahl-Wolfe, *A Photographer's Scrapbook,* St. Martin's Press, New York, 1984, p. 2.
10. Cecil Beaton, *Photobiography,* Odhams Press, Londres, 1951, p. 38.
11. Pour une analyse plus approfondie du style de Huene, voir William A. Ewing, « A Linear Romance », in *Horst* (catalogue de l'exposition), International Center of Photography, New York, 1984, pp. 3-6.
12. Mémoires.
13. On peut voir un fascinant exemple d'une photo de Huene qui annonce Avedon dans *Harper's Bazaar,* octobre 1941, pp. 92-93.
14. Devlin, *Vogue Book of Fashion Photography,* p. 137.
15. Reproduite dans Hall-Duncan, *Fashion,* p. 151.
16. Cité dans Lawford, *Horst,* p. 112.
17. Huene, *African Mirage,* p. 5.
18. La critique la plus dure de ses photos de mode vint de son ancien collègue, le Dr. Agha : « C'est un croisement, dit-il, entre la technique scénique, la décoration d'intérieur, le ballet et le portrait mondain, fait par un appareil de photo. » Mais cet initié connaissait l'envers du décor, et peut-être n'avait-il pas pardonné à Huene ses remarques hautaines, lors de leur dispute de 1935.

BIBLIOGRAPHIE

1. Expositions

(avec des astérisques pour celles d'Hoyningen-Huene seul).

« Premier Salon indépendant de la photographie », Salon de l'escalier, Paris, 1928.
« Film und Foto der 20er Jahre », Stuttgart, 1929.
Mission américaine en Grèce, 1950.
Photokina, Allemagne, 1963.
« Glamour Portraits », musée d'Art moderne, New York, 1965 (exposition itinérante).
« Huene and the Fashionable Image », musée d'Art régional de Los Angeles, 1970 *.
Portraits et photos de mode des années 30, Galerie Sonnabend, New York, 1974.
« Fashion Photography : Six decades », Galerie Emily Lowe, université d'Hofstra, Hempstead et Galerie Kornblee, New York 1975 (exposition itinérante).
« Fashion 1900-1939 », Victoria and Albert Museum, Londres, 1975.
« History of Fashion Photography », musée international de la Photographie, Rochester, New York, 1977.
« Photographs by Hoyningen-Huene », Galerie Sonnabend, New York, 1977 *.
« France between the Wars 1925-1940 », Galerie Zabriskie, New York, 1979-80.
« Fashion Photographers », Galerie Hastings, New York, 1980.
« Masks, Mannequins and Dolls », Galerie Prakapas, New York, 1980.
« L'âge flamboyant de la photo de mode », Centre international de la Photographie, New York, 1980; musée Carnavalet, Paris, 1980; musée d'Art de Long Beach, Californie, 1981 ; Centre de l'art Walker, Minneapolis, Minnesota, 1981 ; Galerie The Photographers, Londres, 1981 *.
Galerie Staley-Wise, New York, 1984 *.
Musée The Chrysler, Norfolk, Virginia, 1984 *.

2. Livres de Huene

African Mirage, the Record of a Journey, Charles Scribner's Sons, New York, et B.T. Batsford Ltd., Londres, 1938.
Egypt, J.J. Augustin Publishers, New York, 1943.
Hellas, a Tribute to Classical Greece, J.J. Augustin Publishers, New York, 1943; seconde édition revue 1944.
Baalbek/Palmyra, J.J. Augustin Publishers, New York, 1946.
Mexican Heritage, J.J. Augustin Publishers, New York, 1946.

3. Courts métrages produits et dirigés par Huene

(avec des astérisques quand il n'existe pas de copie connue)

Film d'amateur avec Serge Lifar, 1927 *.
Film d'amateur, sujet inconnu, 1932 *.
Documentaire de mode produit par *Vogue,* 1933 *.
Film d'amateur adapté librement de *L'Atlantide* de Pabst, réalisé avec des amis, 1933 *.
Daphné : La vierge aux lauriers d'or. Scénario d'Aldous Huxley, 1951.
Trois documentaires couleur tournés en Espagne, dont *Le Jardin de Jieronymus Bosch* *.

4. Longs métrages dont Huene fut conseiller pour la couleur

Une étoile est née, George Cukor, 1956.
Les Aventures de Hadji Baba, Don Weis, 1954.
La Mousson, Jean Negulesco, 1955.
La Croisée des destins, George Cukor, 1956.
Les Girls, George Cukor, 1957.
Le Fou du cirque, Michael Kidd, 1958.
Millionnaire de cinq sous, Melville Shavelson, 1959.
Un scandale à la cour, Michael Curtiz, 1960.
C'est arrivé à Naples, Melville Shavelson, 1960.
Le Milliardaire, George Cukor, 1960.
Les Liaisons coupables, George Cukor, 1962.
La Fille à la casquette, Melville Shavelson, 1963.

5. Principales associations et collections publiques possédant un ou plusieurs écrits originaux de Huene

Bibliothèque de l'Institut de technologie de la mode, New York.
Musée J.P. Getty, Los Angeles.
Collection du théâtre d'Harvard, université d'Harvard, Cambridge, Massachusetts.
Centre international de la Photographie, New York.
Musée international de la Photographie, Rochester, New York.
Musée métropolitain de l'Art, New York.
Musée des Beaux-Arts, Boston, Massachusetts.
Musée de l'Art, New Orleans, Louisiana.
Université de Southern California, Los Angeles, California.

6. Sources biographiques non publiées

George Hoyningen-Huene Photographer, Oral History Program, université de Californie, Los Angeles, 1967.
Mémoires, 1967, édités en partie par Oreste Pucciani et tous en sa possession.

7. Livres sur Huene et la photographie de mode

Bailey, David, *Shots of Style* (catalogue d'exposition), Victoria and Albert Museum, Londres, 1985.
Beaton, Cecil et Buckland, Gail, *The Magic Image : The Genius of Photography from 1839 to the Present Day,* Little Brown and Co., Garden City, New York, 1954.
Devlin, Polly, *Vogue Book of Fashion Photography 1919-1979,* Simon and Shuster, New York, 1979, et Thames and Hudson, Londres, 1979.
Ewing, William A., *L'Age flamboyant de la photo de mode : George Hoyningen-Huene* (catalogue d'exposition), Centre international de la Photographie et Congreve Publishing Company, New York, 1980.
Ewing, William A., et Hall-Duncan, Nancy, *Horst* (catalogue d'exposition), Centre international de la Photographie, New York, 1984.
Fashion 1900-1939, Victoria and Albert Museum, Londres, Idea Books International, Londres, 1975.
Frenzel, H.K., *Hoyningen-Huene : Meisterbildnisse,* Verlag Dietrich Reimer, Berlin, 1932.
Hall-Duncan, Nancy, *The History of Fashion Photography,* Alpine, New York, 1979.
Hall-Duncan, Nancy et Richardson, Diana Edkins, *Fashion.*
Introduction d'Alexander Liberman. Galerie de photographie mondiale, Shueisha Publishing Company, Tokyo, 1983.
Hollander, Anne, *Seeing Through Clothes,* Viking Press, New York, 1978.
Horst, Horst P., *Salute to the Thirties,* avant-propos de Janet Flanner, Viking Press, New York, 1971.
Lambert, Eleanor, *World of Fashion,* R.R. Bowker Co., New York, 1976.
Lawford, Valentine, *Horst : His Work and His World,* Knopf, New York, 1984, et Viking, Londres, 1984.
Lothrop, Elmira, *The Court of Alexander III, Letters of Mrs. Elmira Lothrop, wife of the late Honorable George Van Ness Lothrop, former Minister Plenipotentiary and Envoy Extraordinary of the United States to Russia,* par William Prall. The John C. Winston Company, Philadelphie, 1910.
Penrose, Antony, *The Lives of Lee Miller,* Holt, Rinehart and Wilson, New York, 1985, et Thames and Hudson, Londres, 1985.
Pucciani, Oreste, *Hoyningen-Huene* (catalogue d'exposition), université de Southern California Press, Los Angeles, 1970.
Seebohm, Caroline, *The Man who was Vogue : the Life and Times of Condé Nast,* Viking Press, New York, 1982.
Snow, Carmel et Aswell, Mary, *The World of Carmel Snow,* Mc Graw-Hill Books Co., New York, 1962.

Steichen, Edward, *A Life in Photography,* Doubleday and Co., New York, 1963.
Thrahey, Jane, *Harper's Bazaar : 100 Years of the American Female,* Random House, New York, 1967.

8. Articles et revues sur Huene et la photographie de mode

« Background to Fashion : Surrealism in Fashion Advertising », *Art et Industrie* 32, février 1942, pp. 45-47.
Deal, Joe « Horst on Fashion Photography », *Image* 18, septembre 1975, pp. 1-11.
« Documentation of Glamour : Fashion Photography », *The Art Chronicle,* octobre 1980, p. 5.
Edkins, Diana, « George Hoyningen-Huene's View : a square world filled with riches », *Vogue,* novembre 1980.
Edwards, Owen, « Blow-out : The Decline and Fall of the Fashion Photographer », *New York Magazine,* 28 mai 1973, pp. 49-56.
Edwards, Owen, « The Elegant Hoyningen-Huene », *Saturday Review,* octobre 1980.
Everard, J., « Advertising to Women by Photography », *Communication Arts* 17, juillet 1934, pp. 1-17.
Ewing, William A., « The Munkacsi Movement », *Spontaneity and Style – Munkacsi,* Centre international de la photographie, New York, 1978.
Goldberg, Vicki, « George Hoyningen-Huene », *American Photographer,* octobre 1980, pp. 78-86.
« Hoyningen-Huene : Carnavalet : l'âge flamboyant de la photo de mode », *Photo,* édition française n° 158, novembre 1980.
Malcolm, Jant, « Photography : Men without Props », *The New Yorker,* 22 septembre 1975, pp. 112-121.
Maloney, Tom, « Hoyningen-Huene, *U.S. Camera Annual 1950.*
Marks, Robert W., « The Chose Photography – By Accident », *Minicam LX,* juin 1941, pp. 34-39.
Martin, Richard, « George Hoyningen-Huene », *Arts Magazine,* décembre 1980, p. 6.
Muchnie, Suzanne, « Elegant Side of a Photo Era », *Los Angeles Times,* 9 février 1981.
Osman, Colin, « Martin Munkacsi / 1896-1963 », *Spontaneity and Style – Munkacsi,* Centre international de la Photographie, New York, 1978.
Thorton, Gene, « The Trend is a Backward Look », *New York Times,* dimanche 5 octobre 1980.

INDEX

Les nombres en **gras** font référence aux planches; les nombres des pages en *italique* indiquent les illustrations en couleurs et celles in-texte.